巻 頭 言

消費者関連法制度の見直しと 消費者法学への期待

弁護士　池本　誠司

　近年の消費者法制度改正の議論の特徴と、これに対する法律実務家や消費者法学者の役割について、私見を述べさせていただきたい。

　消費者法制度は、消費者被害が多発し、既存の法制度では適切な解決が困難な事態が発生しているとき、その実態に即応した特別法を制定、改正する作業が頻繁に生じる。

　まず、法制度見直しの必要性について、いわゆる立法事実を明らかにするため、深刻かつ広範な消費者被害が発生している事実を集約し分析することが出発点となる。わが国では、消費生活センターの相談情報を集約した「全国消費生活情報ネットワークシステム」（PIO-NET）の分析結果が、法改正の議論の出発点として活用されている。それは年間90万件〜100万件に上る消費者の苦情相談を、消費者問題専門家である消費生活相談員が聴取して、共通のキーワードチェックを加える等の処理をしたデータであり、極めて信頼性の高い情報だと考える。しかし、消費者契約法の2016年改正に向けた内閣府消費者委員会消費者契約法専門調査会での議論にみられるように、近年は法改正を必要とする具体的立法事実の存在とそれに対する必要最小限度の要件と明確性を有する規定であることがしきりに指摘されている。その影響もあってか、同法の2018年改正においては、4条3項に困惑類型の取消規定が6類型設けられたが、いずれも極めて厳格な要件設定の規定であった。

　消費者契約法は被害救済の実務において活用される特別法であるから、民法に比べて具体的な要件を設定する規定を設けることによって適用のしやす

さが求められる側面もあるが、こうした個別的規定の受け皿となり、かつ民法から一歩進んだ規範の考え方が示される包括的規定が必要ではないか。消費者委員会の「消費者法分野におけるルール形成の在り方等検討ワーキング・グループ報告書」（2019年6月）10頁はこうした観点で提言している。

　立法事実と改正事項の提案に関して、従来は、法律実務家が消費者被害事件を受任処理する中で、現行法の解釈運用では解決困難な事例を集積し、他方では先駆的な勝訴判決を得る取組みも重ねながら、弁護士会等の意見書発表を通じて法改正の議論が広がるというケースがしばしばみられた。公表された裁判例に対する判例評釈等の論文を通じて消費者法学者の見解がその後押しとなった。サラ金・商工ローン被害と貸金業法2006年改正、金融商品被害と金融商品取引法2006年改正、訪問販売・クレジット被害と特定商取引に関する法律（特定商取引法）・割賦販売法の2008年改正、先物取引被害と商品先物取引法2009年改正などがその典型例である。

　これに対し、消費者庁・消費者委員会が創設され、消費者問題に対する政府の対応のペースが速くなっていると思われる。それ自体は大いに歓迎すべき事態であるが、法改正の審議に対し、訴訟事案の分析による踏み込んだ報告や法改正の具体的な提案が、審議のタイミングに間に合っていないケースが増えているのではないか。各地の弁護士等が消費者被害事件を十分に受任処理できていない状況もあるように思われる。そうであれば、弁護士会等が法改正の意見書を作成する際は、現に受任処理した事件の分析だけでなく、消費生活センターの相談情報の照会と分析を踏まえて提言に結び付ける工夫が望まれる。他方で、消費者法学者の皆様には、公表された裁判例の分析だけではなく、相談事例の段階の情報を研究対象に据えて、関連法制度や海外法制の研究を深めていただくことを期待したい。本学会第10回大会テーマの「キャッシュレス決済と立法政策上の課題」は、こうした先駆的な研究の好例だといえる。そして、こうした研究成果を法律実務家が被害救済の現場で活用し、その成果や限界を報告することが求められる。

第11回大会シンポジウム
「消費者被害の救済と抑止の手法の多様化」報告①

消費者被害の救済と抑止の手法の多様化
──共同研究の趣旨と最近の動き──

独立行政法人国民生活センター理事長　松本　恒雄

1　共同研究の趣旨と本シンポジウムの構成

　われわれが共同研究を開始した2016年は、画期的な2つの法制度が日本で始まった年であった。第1に、課徴金制度を導入する不当景品類及び不当表示防止法（景品表示法）の改正法が施行された。第2に、消費者の財産的被害の集団的な回復のための民事の裁判手続の特例に関する法律（消費者裁判手続特例法）が施行され、消費者団体が集団的被害回復の訴訟を起こせるようになった。消費者被害の救済は個別に民事裁判で、被害の抑止は行政規制で、という形で被害の抑止と救済が主体において完全に分かれていたのが、若干融合する形になってきたのがこの2016年であった。

　そこで、他の主要国ではどのような状況なのかを調査し、日本としてどのような点を変えていけばより効果的な仕組みになるかを共同で研究することとした。2017年の比較法学会では各国別の報告を行ったが、日本消費者法学会では、誰がどういう手法でどう動くかという点、すなわち執行主体に留意した報告をすることとなった。

　最初に松本報告と菅報告が総論的な議論を行う。次いで、町村報告、前田報告、白出報告は、集団的な消費者被害救済のための同一の法律の上で、消費者団体、行政、あるいは検察といったさまざまな主体が動いている例を紹

3

介する。最後に、籾岡報告、宗田報告は、行政が消費者とは違う土俵で、独自の立場から積極的に動いている例を示す。

　全体として、行政の役割が重要ではないかという共通の仮説がある。この点では、濫訴と言われているアメリカにおいてすら、「消費者が自ら救済を実現することは容易ではなく、消費者救済はむしろ行政機関の関与によって図られている面が大きい」（内田耕作）と指摘されている。

2　日本における被害の救済と抑止の手法

(1)　被害の救済

　被害の救済のための制度としては、経済協力開発機構（OECD）理事会勧告で取り上げられている3つの手法のうち、少額訴訟や裁判外紛争解決手続（ADR）といった個別救済、団体訴訟やクラスアクションといった集団的な救済の2つは、十分とは言えないが導入されてきた。これらに比べて、消費者保護のための執行機関（行政機関）が消費者の被害回復・救済のために訴訟を行うという制度はきわめて不十分である。

(2)　被害の直接抑止

　直接的な抑止のための制度は、縦割りの主務官庁が行うのが基本である。事前規制、事後規制ともに主務官庁が行っていたのが、消費者庁発足後、縦割りの権限が一切ない消費者庁が横割りの事後規制のみを行うようになった点で、若干の変化が生じている。

　また、消費者契約法を皮切りに景品表示法等に適格消費者団体による差止訴訟制度が導入され、一種の「行政の民営化」が実現している。ただし、行政が行う場合に比べると幾つか不十分な点がある。第1に、景品表示法違反の優良誤認表示の場合、消費者は、当該表示の裏付けとなる合理的な根拠を示す資料の提出を求めることができ、事業者が資料を提出しないときは、不当表示とみなされるが、消費者団体が行う差止訴訟ではそのような立証責任の転換がない。第2に、事業者が違反行為をもはや行っていなくても、消費者庁は措置命令を出せるが、適格消費者団体による差止訴訟ではそれ以上訴

訟が続けられない。

(3) 被害の間接抑止

　違法な行為を行った事業者に金銭的な賦課を行うことによって違法に得た利益を吐き出させ、事業者の行動に事前に影響を及ぼそうとする間接抑止の手法は、非常に不十分である。被害を受けた消費者が損害賠償を請求し、あるいは意思表示の取消しや契約解除により代金の返還を請求すること自体が、利益を吐き出させる効果をもつ。しかし、全ての被害者がそういう行動をとらない限り、不当な利益はなお事業者に残る。

　この点を少し変える試みが課徴金制度であり、消費者裁判手続特例法であった。しかし、消費者裁判手続特例法が施行されてほぼ2年となっても、訴訟は1件も起こっていない（その後2018年12月に学校法人東京医科大学の入試差別事件および2019年4月に株式会社 ONE MESSAGE 等による仮想通貨に関する情報商材の詐欺的販売事件について特定非営利活動法人消費者機構日本から訴訟提起）。制度に問題があるからか、それとも他に理由があるからかを考える必要がある。

　「葛の花由来イソフラボン」事件では、消費者庁から2017年11月に措置命令が出されている。特定非営利活動法人消費者支援機構関西が、措置命令を受けた事業者に対して消費者からの返金の申し出に応じるよう要請したところ、多くの事業者がこれに応じた。この例は、特定適格消費者団体の訴訟外の働きかけで、一定の救済効果が実現する可能性もあることを示している。

　景品表示法の課徴金制度の特徴は、返金制度とセットになっている点にある。消費者に返金をすればその分だけ課徴金が減額されることから、行政処分の間接的効果として消費者への返金を促進する狙いがあった。しかし、三十数件の課徴金納付命令のうち消費者への返金が実現したのはわずか3件にすぎない（2019年7月まで課徴金納付命令は45件）。

　その理由の1つは、本当に購入した者かどうかの証拠がないのに返金はできないという点である。レストランメニューの不当表示事件で2018年6月に消費者庁から措置命令が出され、レストラン側はレシートを持参した消費者

に対しては返金すると約束している。しかし、レストランのレシートを何カ月も保存している消費者はあまりいないだろうから、このままでは返金は機能しない。もう１つの理由は、返金するぐらいであれば売上高の３％の課徴金のほうが負担が小さいと考える事業者が多数存在するということである。

　以上、新たに導入された２つの制度は、いずれもまだ十分な機能を果たしていない。実効性をもたせるために、特定適格消費者団体による集団的被害回復訴訟において、一定額以下の少額多数被害については、被害者から訴訟に参加しないという個別の申し出のない限り、団体が全被害者の損害の回復を請求できるオプトアウトの制度の導入を検討すべきであろう。また、悪質事業者が隠匿している財産の所在を通報した者には、破産管財人や被害者が回収できた資産の中から一定の報奨金を支払うという仕組みも有益であろう。

3　最近の動き

　参議院の消費者問題特別委員会が、成年年齢引き下げ対応等での消費者契約法改正の際の附帯決議として、2018年６月に「行政が事業者の財産を保全し、消費者の被害の回復を図る制度の創設について早急に検討を行うこと」を求めている（2019年９月に消費者庁の「消費者契約法改正に向けた専門技術的側面の研究会」報告書が公表された）。

　2018年10月の日本弁護士連合会による第61回人権擁護大会では、シンポジウム第２分科会「組織犯罪からの被害回復〜特殊詐欺事犯の違法収益を被害者の手に〜」が行われ、大会決議の中でも外国の例などを参考にして、実効性のある被害回復制度を構築することが求められている。

　従来型の集団訴訟をマッチングするための「enjin」と称するインターネットサイトが2018年５月から事業を始めており、今後どのような方向に進んでいくのかが注目される。

　課徴金に関しては、医薬品の虚偽・誇大広告に対して課徴金制度を導入する医薬品、医療機器等の品質、有効性及び安全性の確保等に関する法律（医薬品医療機器等法）の改正の検討が行われている（改正案が2019年３月に国会

に提出されたが、継続審議となっている）。

　欧州委員会が「消費者のためのニューディール」という政策文書を2018年４月に公表した。そこでは、消費者団体訴訟について従来は差止請求のみを内容としていた差止指令（2009年）を、損害賠償等の請求もできる代表訴訟指令に改正する提案をしている。また、不公正取引慣行指令（2005年）は、行政的な取締りについての共通ルールを示していたにとどまるが、違反をした場合の民事効果についても含めるという形の改正が提案されるなど、新しい動きが出てきている。

　※　大会後の情報追加は校正時の2019年９月12日現在。
　※　大会予稿を掲載した「消費者被害の救済と抑止の手法の多様化」現代消費者法40号（2018年）４頁以下も参照されたい。

第11回大会シンポジウム
「消費者被害の救済と抑止の手法の多様化」報告②

刑事・行政・民事・自主規制の組み合わせ による消費者被害の抑止と救済
──「脆弱な消費者」の包摂を意識して──

法政大学教授　菅　富美枝

1　はじめに──基本的視点

　端的に言って、最も成功した消費者法制とは、社会の中で最も脆弱性が高いとされる消費者であっても、安心して消費生活を送ることのできるシステムではなかろうか。現在、ISO（国際標準化機構）の中で、脆弱な消費者の観点に立った商品やサービスの規格化の推進が進められている（「プロジェクト３１１」）が、その議長国をイギリスが務めている。わが国においても、2018年５月に国内対応委員会が設置された（報告者も委員を務めている）。以下、本報告では、イギリス消費者法の執行体制を参考にしながら、今後の日本社会が進むべき道を探っていく。

　その際、特に本報告が注意するのが、「カテゴリー基底的アプローチ」から「リスクアプローチ」への転換である。すなわち、「脆弱な消費者」を「平均的消費者」とは区別して恩恵的保護を与えるという発想から、脆弱な状況に陥るといったことは、契約締結の状況や環境次第では誰にでも起こりうると考え、それらのリスクを予め制御すべく消費者法制を整えておく、という発想への転換である。ここで登場するのが「状況的脆弱性」という概念であり、イギリス法のみならず、「不公正な取引慣行をめぐる2005年EU指令（Unfair Commercial Practices Directive 2005）」（以下、「2005年EU指令」と

いう）における「脆弱な消費者」概念を大きく転換させた、2016年5月の同指令ガイダンスにも窺うことができる。

　消費者が脆弱な状況に陥りやすいリスクとしては、大きく、①市場における一定の取引手法に関する脆弱性、②個別具体的な契約締結場面における「状況・関係性」についての脆弱性、そして、③情報の取得、理解、情報を用いた意思決定など「選択・決定」に関する脆弱性の三つに分類できよう。本報告では、紙面の都合上、特に第一のリスク、中でも、不公正な取引手法と、不公正な契約条項をめぐる法規制と執行体制のあり方についてみていく（詳細については、拙著『新消費者法研究──脆弱な消費者を包摂する法制度と執行体制』（成文堂、2018年）、及び、拙稿「不公正な契約条項をめぐるイギリス消費者法の執行体制」経済志林86巻3・4号（2019年）277頁を参照）。

2　イギリス消費者法制の概要

　イギリス法の伝統的立場は、「買主よ、気をつけよ」であり、消費者側に情報収集や商品吟味、自己決定に対して責任を持たせるものであった。一方、その裏返しとして、売主による偽りの告知については、公衆一般の利益保護を法益として、強い刑事責任が問われてきた。さらに、2005年EU指令を反映して刑事的に違法とされる行為の範囲が拡大されるとともに（「2008年不公正な取引行為からの消費者の保護に関する規則（Consumer Protection from Unfair Trading Regulations 2008)」)、そうした「禁止行為」については、民事的にも責任追及が可能であるとして、「攻撃的な」行為や「誤解を生ずる」行為によって契約締結が引き起こされた場合には、契約撤回権、代金減額請求権、損害賠償請求権が認められることとなった（「2014年改正規則」）。

　次に、イギリス消費者法の執行体制の特徴を端的に表現するならば、「非集権化」、「動態性」、「自主規制の組み込み」の3点に集約できる。そして、執行体制全体を貫いているのが、「応答的規制」モデルである。

　具体的には、執行体制の最初の段階として、正しい契約の雛形の提示、関連諸法の説明といった「遵法教育」の実施、それと共に、消費者から受け取

9

った金銭の返還に向けた説得など、事業者のコンプライアンスを引き出す。事業者の態度が改まらない場合には、警告文を提示する。それでもなお事業者が反抗的、攻撃的な態度をとり続ける場合には、刑事訴追を視野に入れて、逮捕や証拠収集（捜索・差押え）に移り、最終的には、裁判所に対して罰金刑や懲役刑を求め、同時に、違法利得の差押えや吐き出し命令、刑事上の賠償命令を求めていく。特に重要なのは、事業者の態度に応じて、コンプライアンス方針に戻ったり、逆にサンクション方針に進んだり、両方向の可能性を示唆しながら、事業者に圧力を加えていく手法がとられている点である。

こうした応答的規制モデルにおいて、被害消費者にとっても、加害を疑われている事業者にとっても、最も身近な執行主体として、各地方自治体において活躍しているのが「取引基準局」である。

3　イギリス消費者法における執行主体

同様に、重要な執行主体として活躍しているのが、中央機関（独立の行政機関）としての「競争及び市場局（Competition and Market Authority）」（以下、「CMA」という）である。取引基準局もCMAも共に、行政的執行権限と刑事的執行権限を有する。両者に優劣関係はない。ただし、CMAは、不公正な競争や消費者の選択を歪める行為の調査、監視を主目的とすることから、中心的な役割は、調査及び指導である（刑事的執行の実施は例外的）。さらに、取引基準局やCMAに加えて、実質上、イギリス消費者法の執行主体の一翼を担っているのが、業種団体である。このように、「非集権化」を特徴としたイギリスの消費者法執行体制は、「協働規制体制」と呼ばれる。

4　イギリス消費者法の執行メカニズム

(1)　全体像

イギリス消費者法の執行体制としては、既述した刑事的執行や行政的執行（いずれも、取引基準局及びCMAが実施）、業種団体を基盤とした自主規制メカニズムに加えて、民事的執行メカニズムが存在する。

(2) 刑事的執行

応答的規制モデルに関連して、既に述べた通りである。

(3) 行政的執行

行政的執行とは、取引の基準や品物・サービスの質一般に関わるなど「集合的利益」に対する侵害への対応であって、CMA と取引基準局の両者が従事する。その具体的な内容は、①引き受けの受諾、②遵法・被害救済に向けた強い促し、③差止め請求、④（金融分野に限定した）行政制裁金である。中でも、①の「引き受け」が注目される。

CMA や取引基準局は、違法行為の疑われる事業者に関する調査を行う過程で、違法か合法かの結論をあえていったん棚上げにして、事業者側から自主的な解決を引き出す。こうした手法により、自主的な返金、広告や宣伝の是正など、被害者救済、非行の矯正、再発防止が事業者側から約束される。さらに、同種の行為を自粛する態度が業界全体に広がるという効果が生ずる（例 介護施設入所契約における「前払い金」の無効性をめぐる事案や、劇場チケットの再販売のウェブ広告の違法性をめぐる事案）。

(4) 民事的執行

競争法違反を除く一般的な消費者法事案において、クラス・アクションや団体訴訟のメカニズムはない。そのため、消費者は契約法上、消費者法上の権利について個別に訴訟を起こす必要がある。他方、指定消費者団体が CMA などに対して調査を求める制度（「スーパーコンプレインツ」）が確立しており、消費者に働きかけて小さな声を集めて大きな声へと転換する機能を果たしている。また、業種団体を基盤に調停サービスが網羅的に発展（セクターごとに55組織が存在）している。サービスは無料で迅速な回答を得られるなど、消費者にとって最も身近な ADR の一種として機能している。

(5) 自主規制メカニズム

さらに、業種団体は、セクターごとに固有の「行為指針」を策定して遵法以上を目指すなど、自主規制メカニズムを有する。自主規制メカニズムは、他の公式の執行メカニズムとも連携している。

　たとえば、優良誤認表示を疑う消費者からの苦情を受けて、「広告基準機構」は独自に調査を開始する。「広告指針」に照らして広告が審査されると共に、事業者に優良性を立証させる機会を与えた上で、事態の改善に向けて折衝を試みる。それが功を奏さなかった場合には「裁定」が下され、ウエブ公表によって実質的な制裁が与えられる。市場レベルで消費者の選択を歪める場合には、CMA が介入する。また、刑事責任の追及が必要と考えられる悪質な事案については、取引基準局に送致される。

5　むすびに代えて

　イギリス消費者法の執行体制の特徴は、業種団体・セクターを中心とした自主規制・解決メカニズムを基礎として、行政的執行と刑事的執行が有機的に連関しているところにある。大小、フォーマル／インフォーマルの複数の執行主体がハード／ソフトの手法を用いて協働し、また、消費者の小さな声を吸い上げるメカニズムが発展している。このようにして消費者の状況的脆弱性を解消していくことは、あらゆる消費者の主体的に決定する権利の保障に寄与しよう。「Design for All」としての消費者法の方向性を探るとき、「脆弱な消費者」だけをあえて取り上げて議論する必要はなくなるであろう。

　この点に関連して、イギリス法には、伝統的に制限行為能力制度が存在してこなかった。歴史的に、行為能力の制限ではなく、執行体制の充実によって、脆弱性の有無にかかわらない消費者の保護が図られてきたのである。

　実刑や隠匿財産の吐き出しを含む強い刑事的執行力を背景に、事業者による自主的解決を実効的に引き出したたたかともいえる柔軟な執行手腕から、今後の日本社会が学べる部分も少なからずあるように思われる。

※　本報告は、JPS 科研費・基盤研究(B)16H03574（連携研究者）、及び、同・基盤研究(C)16K03416（研究代表者）の助成による研究成果の一部である。

※　大会予稿を掲載した「刑事・行政・民事・自主規制の組合せによる消費者被害の抑止と救済」現代消費者法40号（2018年）11頁以下も参照されたい。

第11回大会シンポジウム
「消費者被害の救済と抑止の手法の多様化」報告③

消費者団体訴訟のコスト負担
──集団的消費者被害回復裁判手続を中心に──

成城大学教授　町村　泰貴

1　問題提起──消費者被害の予防と救済の現状

　消費者団体訴訟の中でも、適格消費者団体の差止請求権の行使は活発に用いられているが、消費者の財産的被害の集団的な回復のための民事の裁判手続の特例に関する法律（以下、「消費者裁判手続特例法」または単に「法」という）に基づく特定適格消費者団体の被害回復請求権は、その施行から2年経過しても一つの共通義務確認訴訟提起も行われておらず、活発とは言い難い（報告当時はまだ提訴例がなかったが、その後、特定非営利活動法人消費者機構日本が三事業者に対して訴訟を提起している（2019年8月現在）。しかし、適格消費者団体の差止請求と比較すれば依然として利用は低調である）。

　もちろん、裁判外での消費者被害回復例はあるが、法施行後に表面化した多数消費者被害事例の多くが被害回復に至っていない現状もあり、訴訟を通じて多数の消費者に共通する被害の回復を図るという本来の目的が発揮されていないという評価は否めない。

　その要因は、当初は、消費者裁判手続特例法の施行（2017年10月1日）後の消費者契約にしか適用がない（法附則2条。なお不法行為に関しては、その適用対象が法施行後に行われた加害行為に限られている）という点で提訴事例が乏しかったという事情があるが、それだけではなく、以下5点の制度的な問題が考えられる。

　第一に、団体訴訟の担い手が特定適格消費者団体に限定され、しかもその

13

認定基準が厳格に過ぎるのではないかという点である（その厳格さは、法施行時に定められた「特定適格消費者団体の認定、監督等に関するガイドライン」（以下、「ガイドライン」という）によって詳細に定められている）。従前の多くの消費者被害回復のための集団訴訟がアドホックな弁護団により担われていることから、立法当初から提訴資格を特定適格消費者団体に限ることには批判があった。

　第二に、共通義務確認訴訟の対象が限定的に過ぎ、救済を必要としている多数消費者の被害を適切にカバーしていないという点もある（事案類型や相手方の限定（法３条１項および３項）のみならず、対象となる損害が拡大損害や精神的損害を除外するという限定（同条２項）も問題がある）。

　第三に、情報の非対称性を是正する仕組みの欠如が挙げられる。いわゆる不実証広告規定（たとえば特定商取引に関する法律（特定商取引法）６条の２、不当景品類及び不当表示防止法（景品表示法）７条２項など）に相当する制度がなく、また行政処分による責任推定といった仕組みもないため、行政には非を認める事業者が被害回復には全く応じないという態度に出ることを可能とし、共通義務確認訴訟の無力さを招いている（この点、諸外国では、アメリカのディスカバリ、ブラジルの公共訴訟における訴訟前の民事的捜索による証拠収集や立証責任転換など興味深い制度がある）。

　第四に、消費者被害を引き起こす多くの事件で事業者が経済的に破綻しているため、その財産保全手段が不十分であり（消費者裁判手続特例法には仮差押えの可能性が規定されているが、事業者が破産すれば、仮差押えは失効する。破産法42条２項）、消費者被害回復に優先権も認められず、また倒産手続の中では特定適格消費者団体の手続追行権もないという解釈が一般にとられているので（消費者庁消費者制度課編『一問一答消費者裁判手続特例法』（商事法務、2014年）59頁・107頁参照）、深刻な消費者被害ほど集団的消費者被害回復制度が無力となる。

　そして第五に、事業者の負担を軽減し、また消費者の手続保障を損なわないような制度設計の結果、高コストな手続となり、しかもそのコスト負担を

消費者および特定適格消費者団体が担うという制度となっている。

　本報告は、この最後のコスト面の問題を取り上げ、その適切な負担のあり方を検討しようとするものである。

　結論を先に述べておくならば、現在のような手続コストを特定適格消費者団体に負担させ、これを被害回復の受益者である消費者から報酬として回収する仕組みは無理があり、消費者団体と消費者の他に、義務者たる事業者および国・地方公共団体にも分担させる余地があるほか、少額多数被害についてはコストの小さい回復制度を作る必要があるということである。

2　消費者裁判手続特例法のコストとその負担

(1)　仮差押え

　法56条以下の仮差押えには民事保全法14条に基づく担保金が必要である。独立行政法人国民生活センターによる仮差押担保金立替制度はあるが（平成29年法律43号により追加された独立行政法人国民生活センター法10条7号参照）、提訴団体が敗訴時に求償義務を負う可能性を考慮すれば、仮差押えの執行を躊躇せざるを得ない要因となる。

(2)　債権届出までに要する費用

　第一段階である共通義務確認訴訟から第二段階の授権までにおいては、弁護士強制制度がとられている関係で、弁護士費用がかかるほか、特に第二段階で知れたる対象消費者への通知に要する費用や授権契約に先立つ説明義務の履行、そして授権契約に要する費用が高額に上る可能性がある（通知は極力電子メールにより、説明もウェブ上で済ませることが理想的ではあるが、授権率を上げる必要や年齢も居住地も様々な消費者が含まれることを考えれば、そのコストが高額に及ぶ可能性は否定できない）。

　これらのコストは、簡易確定手続申立団体に授権する対象消費者が納付する費用および報酬によって負担されることが予定されている（法76条および費用と報酬の定め方に関してガイドライン13頁以下参照）。もっとも、対象消費者にすべての費用を負担させることは現実的でないので、簡易確定手続申立

団体と対象消費者とが応分に負担するということになる。

(3) 簡易確定手続の費用

債権届出後は、個々の届出消費者ごとの手続が束になったものであり、しかも相手方事業者の認否に際しての情報提供（裁判所規則26条）や認否を争う場合の情報収集（同規則29条）、届出消費者の意思確認など、高コストな手続となっている。

これらの費用は、届出消費者からの着手金・報酬金により回収することが予定されるが、ここでも消費者の利益擁護の目的から消費者にとって費用倒れとなることは許されず、消費者が実際に取得できる金銭を回収額の50％以上とすべきことがガイドラインにより規定されている（ガイドライン16頁）。

(4) 異議後の訴訟その他の費用

異議後の訴訟は通常の訴訟手続と同じコストがかかり、団体はその手続追行授権を正当な理由なく拒むことができず、しかも着手金と報酬はガイドラインによる限定がある。届出消費者にとっても少額であればコスト倒れとなり、団体にとってもそのコスト負担は重い。

3 問題解決の必要性と方向性

(1) 現行法の適合する事案

特定適格消費者団体が消費者からの報酬によりコストを負担するという現行法のスキームは、一件あたりの被害が高額で、かつ比較的少数の被害者に共通する事例にこそ適合するが、少額多数被害にはそもそも適合しない。

また、対象消費者のうち授権する者の割合、すなわち授権率が高くなければ、通知公告および説明のための費用、その他の準備も含む費用が授権した対象消費者に大きな負担となる。

(2) コスト負担のあり方

比較法的に見れば、アメリカのクラスアクションが日本と同様に提訴コストを被害者・消費者の負担としている。しかし、これにはオプトアウトによるコスト削減、懲罰賠償、ディスカバリといった手続的仕組みがそれを支え

ている。日本では、そもそも懲罰賠償やディスカバリが受け入れられない。

　これに対してフランスのグループ訴権では、有責判決を受けた被告事業者が個別の対象消費者に対する通知の責任と費用を負担する。また、対象消費者の手続への参加は、事業者に直接請求するか、または団体を通じて被害回復金の支払いを求める。事業者が直接消費者に支払いをするのであれば、団体がそのコストを負担することはない。そして、第一段階の提訴団体が支出した費用等の仮の支払いが事業者に命じられる余地もある。

　公共機関がコストを負担するやり方は、デンマークなどでも見られるし、フランスでも提訴団体の財政基盤に公的な援助があること、さらにブラジルその他の国々のように公共機関が消費者被害回復のための訴訟制度を提起追行できるという例もある。

4　終わりに

　日本の集団的消費者被害回復裁判手続は、多くの問題があるが、特にコスト負担の問題は、特定適格消費者団体自身の財政基盤拡大を前提としつつも、公的な負担の拡大、被告事業者の負担拡大、そしてコスト削減によって克服される必要がある。特に少額多数被害の回収には、その性質に見合った制度設計をすることが必要である。

　※　大会予稿を掲載した「集団的消費者被害回復裁判手続のコスト負担のあり方」現代
　　消費者法40号（2018年）21頁以下も参照されたい。

第11回大会シンポジウム
「消費者被害の救済と抑止の手法の多様化」報告④

公的機関を主体とする
消費者集団訴訟
——ブラジル検察庁、公共弁護庁による
同種個別的利益の実現と憲法的限界——

慶應義塾大学教授　**前田　美千代**

1　消費者集団訴訟の原告適格に関する規律と運用

　ブラジルにおける消費者の拡散的、集合的及び同種個別的利益の保護を目的とした集団訴訟の原告適格は、1990年消費者保護法典82条及び1985年公共民事訴訟法5条の下で、①検察庁、②公共弁護庁（わが国の法テラスに該当）、③連邦・州・市町村及び連邦直轄区、④プロコン（わが国の消費生活センターに該当）、及び、⑤民間消費者団体の5団体に付与されている。

　国家司法審議会（Conselho Nacional de Justiça: CNJ）による2018年1月公表の「司法調査（Justiça Pesquisa）」では、14の裁判所（3の上級裁判所、5の連邦裁判所及び6の州裁判所）に係属する5万2000件以上の集団訴訟を精査し、判事、検事ら実務家への聞き取り調査を行った結果、集団訴訟の原告適格がある上記5団体のうち、最も多いのが検察庁による提訴であり、これに続くのが2007年改正で公共民事訴訟法5条に新たに列挙された公共弁護庁であることが分かった。このように、ブラジルの消費者集団訴訟の特徴として、公的機関が圧倒的に多くの役割を担っていることが分かる。

2　同種個別的利益の事案における検察庁の原告適格

　1988年連邦憲法127条本文及び129条3号の検察庁の制度的職務に関する制約の下で、処分可能な同種個別的利益について、無制限に検察庁の原告適格を認めることには問題がある。

　そこで、処分可能な同種個別的利益に関して集団訴訟を提起し得る検察庁の原告適格が認められるためには、当該集団的利益の「社会的重要性（relevância social）」が証明されなければならないとされている（通説・判例）。しかし、判例上、社会的重要性に関する明白な基準は存在せず、法的安定性を欠くという批判はあるものの、「社会的重要性」なる概念の流動性ゆえに、あらゆる同種個別的利益がこれに該当し得ると考える方向性が示されている。つまり、「同種個別性」を満たす事案であればそれ自体で社会的重要性が肯定されるべきであり、一段階目の概括給付判決を得れば、片面的判決効拡張制度の下、二段階目の判決清算手続でいずれにせよ個別的に（判決効が）援用される点で変わりがない。

　同種個別性／社会的重要性の判断基準に関して、少額多数被害の事案では、個別訴訟提起が費用倒れに終わるという問題があることから、事業者の違法行為を止めるためにも社会的重要性ありと考えるべきである。逆に、少数被害の事案であっても、保護すべき法益の主観的性質に照らして多数性要件を緩和し社会的重要性を認め、公共民事訴訟（集団訴訟）への途を開くことが司法アクセスの保障につながる場合もある。

3　消費者集団訴訟における公共弁護庁の原告適格

　公共弁護庁も、連邦憲法134条に定められた制度的職務との関係で、検察庁同様の制約がある。公共弁護庁は同種個別的利益の保護のための集団訴訟を提起する原告適格を有するとしても、その集団を構成するメンバーの属性（経済的弱者か否か）との関係で制約を受けるとも考えられる。このことを指摘したのが、連邦憲法103条9号に基づき全国規模階級団体として違憲訴訟

の提訴権を有する全国検察庁メンバー協会により提起された違憲直接訴訟である。その主張を要約すれば、集団に含まれる個々人を特定し得ない拡散的又は集合的権利の公共民事訴訟に関して公共弁護庁による提起は認められず、唯一それが認められるとすれば、経済的弱者の存在を個別に特定し得る同種個別的権利に関してのみということである。

　本訴訟では、サンパウロ大学法学部教授で訴訟法の大家であった故アダ・ペレグリーニ＝グリノーヴェルが、全国公共弁護官協会の依頼を受けて意見書を提出した。その要旨は、連邦憲法5条74号の「資力／資源（recursos）」には、経済的資力のみならず、文化的（culturais）、組織的（organizacionais）及び社会的（sociais）なその他の性質の資源も含まれ、これにより連邦憲法134条の困窮者は経済的資力を欠く者に限られないとするものである。この中で消費者は組織的資源を欠く構造的弱者として言及されている。

　連邦最高裁判所大法廷2015年5月7日判決（カルメン・ルーシア報告担当判事）は、アダ・ペレグリーニ＝グリノーヴェルの学説を採用し、集団訴訟の一段階目については、拡散的、集合的及び同種個別的な3種類全ての権利・利益について（資力不足の証明を要さずに）公共弁護庁の原告適格が認められるものの、二段階目の判決清算手続に関しては、「集団の各メンバーの擁護が別々に行われ、経済的弱者集団のみに対応することが可能であることから」、公共弁護庁が裁判援助及び法律扶助を行うためには、個々のメンバーの資力不足の証明が必要になるとした。

　公共弁護庁には典型的機能と非典型的機能があり、典型的機能とは経済的困窮者の法律扶助であり、非典型的機能にはそれ以外が含まれる。民事訴訟における特別代理人（curador especial）や刑事訴訟における国選弁護の場合が非典型的機能の局面であり、経済的資力の有無を問わない。

　確かに、少額多数被害をはじめとした消費者の保護も、組織的資源を欠く弱者として非典型的機能に含まれ得る。ただ実際には、公共弁護庁の地域的偏在が問題となり、困窮者が大列をなしている州もある中、これを検察庁やプロボノによってカバーされている現状において、公共弁護庁が、ゲーム機

PlayStation 4 やメルセデス・ベンツの消費者の集団的権利擁護のために集団訴訟を提起し得ると考えることには疑問が残る。

4　結びに代えて──公的機関の積極的役割分担

　ブラジルにおける同種個別的利益の集団訴訟は、わが国の消費者の財産的被害の集団的な回復のための民事の裁判手続の特例に関する法律（消費者裁判手続特例法）と同様、個別消費者の財産的被害を集団的に回復する制度である。両国の制度上の違いにおける特徴の一つが集団訴訟の原告適格であり、国家機関である検察庁及び公共弁護庁が特に積極的役割を担う中、本報告では両機関の制度的職務に関する憲法的制約との葛藤に焦点を当てて論じた。その克服の道筋として、当該対象消費者全体の利益を適切に代表する団体であるかどうかが常に問われなければならず、その際、特に公共弁護庁に関しては憲法的制約を考慮する必要がある。検察庁に関しては、同国の行政の非効率を前提とすれば、広く司法アクセスを保障することが救済につながるため、特に集団訴訟の一段階目にあたる概括給付判決を求める訴えについて間口を狭めない方が良い。

　なお、ブラジルで消費者の司法アクセス保障の観点から検察庁の原告適格を認めるべきことが指摘される少額多数被害につき、わが国では、不当景品類及び不当表示防止法（景表法）違反行為の措置として課徴金納付命令が消費者への自主返金制度とともに着実に機能する限りにおいて、公的機関（消費者庁）を通じ、司法アクセス以外の方法で救済が図られている。同様の方向性として指摘し得るのが、国民生活センター紛争解決委員会による裁判外紛争解決手続（ADR）である。当該 ADR の対象となる重要消費者紛争の要件は、ブラジルの検察庁の原告適格認容にかかる「社会的重要性」や「同種個別性」要件とオーバーラップする。ただ、ブラジルではさらにこの先があるというのがわが国との大きな違いである。

　ブラジルでは、違反事業者との間で公的機関のみが締結可能な行動調整（Termo de Ajustamento de Conduta: TAC）と呼ばれる集団 ADR 制度があり、

これを含む各種交渉が奏功しなかったその先に集団訴訟の提訴がある。提訴に先立ち、証拠資料を押収する民事的捜索（inquérito civil）（公共民事訴訟法8条）が行われるのが通常であり、これを嫌う違反事業者は、民事的捜索を避ける目的で、行動調整に応じるのである。このように、公的機関を主体とする消費者集団訴訟の醍醐味は提訴以前にも存在するといえる。したがって、ブラジルに倣い消費者庁や独立行政法人国民生活センターへの集団訴訟の提訴権付与に魅力を感じつつも、まず堅実なプランとして国民生活センターのADRの手続上の権限や効力の強化を挙げることができる。そして、証拠資料の開示という点で言えば、民事的捜索も行動調整もその権限を有しないブラジルの民間消費者団体は、裁判において立証責任転換制度（消費者保護法典6条8号）を活用することが聞き取り調査より明らかとなっている。民間消費者団体のみに提訴権を認めるわが国の制度との関係で一定の示唆を与えるものと考えられる。

※　大会予稿を掲載した「公的機関を主体とする消費者集団訴訟」現代消費者法40号（2018年）28頁以下も参照されたい。

第11回大会シンポジウム
「消費者被害の救済と抑止の手法の多様化」報告⑤

検察院等による公益訴訟からみる消費者被害救済

弁護士・独立行政法人国際協力機構中国長期派遣専門家　白出　博之

1　はじめに・本報告の基本的視座

(1)　中国公益訴訟制度の概観

　2017年6月の比較法学会報告以後に、中国民事訴訟法、行政訴訟法の改正が行われて検察機関を提訴主体とする民事公益訴訟と行政公益訴訟が成立し、また昨年時点で全6件にとどまっていた消費公益訴訟が、この1年間で倍増して現在までに13件が提訴されている。本報告では、これらの最新動向に焦点を当てる。

(A)　概　要

　ここで指摘すべき点は、大規模消費者被害等の社会公共利益の保護を目的とする訴訟モデルとして、概ね3つのパターン、すなわち、特定の国家機関を主体とする国家機関訴訟モデル、特定の団体を主体とする団体訴訟モデル、そして公民・国民を主体とする公民訴訟モデルに大別されることである。まず第1に「団体訴訟モデル」方式を、当初、民事公益訴訟では採用し、具体的には消費者権益保護法、環境保護法がこれを採用していることである。

(B)　制度の意義・必要性、指導思想

　公益訴訟制度を創設する意義・必要性、指導思想については、行政機関による社会公共利益の保護を原則としながらも、その不足や限界を補うものと位置付けられている。民事訴訟法（以下、「民訴法」という）では、公共利益侵害について利害関係のない者が起こす訴訟だけに限る公益訴訟狭義説を前

提に、提訴主体を「法律が規定する機関および関係組織」と規定するところ、消費者協会および一定の要件を充たした環境NGOが「関係組織」に、検察機関が「法律が規定する機関」に該当する。

(C) 2017年の民訴法・行訴法改正

2017年法改正により検察院の提起による①民事公益訴訟と②行政公益訴訟が新たな公益訴訟の類型として追加されている。これは公益訴訟モデルのうち「国家機関訴訟モデル」方式である。

まず、①民事公益訴訟について、まず検察院による消費公益訴訟では食品、医薬品の安全性領域に限定されているが、この分野が民生の保障に深く関わっており、特に中国において生命・健康に関わる重大な消費者被害を生じている「重大な被災地」と認識されていることなどがその理由である。また、検察院が関与する場面としては、「または前項で規定する機関および組織が存在しないか、または前項で規定する機関および組織が訴訟提起しない状況において」（民訴法55条2項中段）、つまり消費者協会等が何らかの理由で提訴しない場合に検察院が関与するとされており、検察院による公益訴訟は補充的なものと位置づけられている。

②行政公益訴訟の典型的なイメージは、本来環境汚染問題を取り締まるべき環境保護局、あるいは本来消費者保護について積極的に権限を行使して取締りをすべき消費者保護の行政機関が権限を行使しない場合に、まず検察院が行政機関に対して検察建議を提出して職権行使を督促し、それでも行政機関が権限を行使しない場合には検察院が直接公益訴訟を提起するというものであり、行政機関との関係では補充的な位置づけである。

以上小括すれば、もともとは環境汚染・不特定多数消費者被害等の社会公共利益侵害について、行政機関による保護を原則としつつも、行政監督管理の不足・限界を補うものとして創設されたのが公益訴訟であったが、諸般の理由からそれほど提訴されなかった。そこで団体訴訟モデルの不足限界を補うものとしての検察院による公益訴訟が現れてきたという流れである。

(2) 検察院による公益訴訟の特徴

これまでに検察院が提起した公益訴訟の特徴として、次の点を指摘できる。

① 環境公益訴訟が圧倒的に多く、消費民事公益訴訟は少ない。2015年から2017年までの試行業務における事件内訳は、生態環境保護事件約5500件に対し、食品安全分野は62件である。2017年改正法の施行後、2018年３月の全国人民代表大会における最高人民検察院報告では、2017年度の生態環境分野公益訴訟約１万3000件に対し、食品・医薬品分野は731件にとどまる。

② 検察院が提起した行政公益訴訟のメリットとしては、主に行政機関の違法な職権行使・不作為ケース対策に威力を発揮する点である。

③ 訴訟前手続による迅速な解決。検察院が訴訟前手続を行ったのは検察院が取り上げたケース合計約7800件中の約6900件で、提訴事件は934件。訴訟前手続が行われたうち、行政機関が主体的に違法行為を是正したのが約4300件、関連社会組織が提訴した事件は34件である。検察院による手続の特徴として、訴訟前手続における検察院からの督促・検察建議により訴訟に至らない段階で多くの問題が解決しており、つまり相手方にとっては相当にインパクトのあることが指摘できる。

2 中国公益訴訟制度からみた具体的な被害救済の課題

(1) 公益訴訟提起主体の多様化・多層化

公益訴訟提起主体が多様化、多層化されている。「消費者協会」の実情等については、現在中国全土で33の協会が公益訴訟提起主体としての適格性を有するが、中国は日本の約26倍の面積、約10倍の人口であることを考えると、これで十分かという問題がある。法律上、提訴主体を省級以上の消費者協会に限定した理由は、能力面、人材面、活動経費面等の課題が密接に関わっている。

消費公益訴訟の最新状況については、配付別紙記載のとおり計13件（勝訴判決６件、問題解決で取下げ４件、係属中３件）であるところ、その特徴・傾

向としては、①全体として提起件数はまだ多くなく、いずれも大都市所在の消費者協会が提訴したものに限られており、②提訴中に被告業者と交渉し問題点を改善させて訴えを取り下げるケースが少なくないこと、③損害賠償だけでなく、公開謝罪の活用例が目立っていることがあげられる。③については、今後も営業を継続していく一定規模の業者について、今後も新たな被害発生を防止させるために公開謝罪を求めるメリットが意識されている。

　消費公益訴訟の提訴件数が現状で合計13件という点については、日本の約10倍の人口、約26倍の面積からいうと、まだまだ少ないと感じるが、その背景としては、消費者協会側としてはよい先例を積み重ねたいという戦略的理由だけではなく、訴訟費用減免、訴訟救助の問題、さらには取得した賠償金を適切に分配できるかという問題が大きく、立法論として専用基金方式の活用が指摘されている。町村報告が指摘したコスト問題は中国にも等しく妥当する課題である。

(2)　検察院の位置づけと公益訴訟上の地位・優位性

　検察院の位置づけと公益訴訟上の地位・優位性につき、一般に検察院による公益訴訟を、検察院の法律監督権の新しい行使形式と捉える。検察院による公益訴訟提起の優位性としては、社会組織よりも権威性が高く、事実・証拠の収集能力、立証の困難等の問題にも強さを非常に発揮することが指摘できる。また上述した訴訟前手続における公益侵害の迅速な解決と他の訴訟適格主体との調整が図られている点も注目すべきである。

(3)　適用範囲の妥当性

　検察院が提起できる消費公益訴訟の適用範囲が食品・医薬品の安全性領域に限定されているが、中国の消費者協会による提訴事例をみると、司法解釈に明記されていない新しい他分野に関わるケースが増加していることも課題である。

(4)　取得した賠償金の帰属等

　検察院が勝訴して取得した損害賠償金は国庫に帰属すべきか。司法解釈では後行する消費者の損害賠償請求で、公益訴訟裁判が認定した違法行為を片

面的に援用できるが、そうである以上、取得した賠償金は直ちに国庫に帰属させず、一定期間裁判所ないし公益訴訟賠償基金等に保管すべしとの立法論があり、環境公益訴訟における専用基金方式が参考となる。

(5) 刑事付帯民事公益訴訟、公益訴訟裁判の効力

刑事付帯民事公益訴訟の採用については、刑事事件で適法に認定された事実・証拠を、民事公益訴訟事件において証明を免除された事実・証拠とできるメリットが大きい。また司法解釈により先行の公益訴訟裁判の認定事実を、後行の私益訴訟において消費者が援用できる「事実上の二段階訴訟」状態が認められるが、検察公益訴訟の新設は、消費者協会よりも強力な事実調査・証拠収集能力を有する検察が提出した裁判資料に基づく民事公益訴訟裁判の認定事実を、消費者が自己に有利に援用する可能性を拡げる。訴訟費用について、現行民訴法、消費者権益保護法では民訴法の原則通りの納付が求められるが、検察院による公益訴訟では不要の扱いが認められている。

3 おわりに

最後に、公益訴訟を行政主導型モデルの補充と指摘したが、中国の新しいトレンドとして行政機関の再構成がなされていることを指摘したい。今まで縦割り行政であった消費者保護、具体的には、製品の品質問題、食品・薬品の安全、知的財産保護、銀行・保険、市場の公正等を統括した新しい国家市場監督管理総局が設置されており、より強い行政主導型の消費者保護モデルの現れることが予想される。

※ 大会予稿を掲載した「検察院等による公益訴訟からみる消費者被害救済の論点（中国）」現代消費者法40号（2018年）35頁以下も参照されたい。

第11回大会シンポジウム
「消費者被害の救済と抑止の手法の多様化」報告⑥

行政機関による司法手続を通じた消費者被害の金銭的救済

北海道教育大学教授　籾岡　宏成

1　問題関心

　アメリカ合衆国の消費者保護政策においては、連邦取引委員会（Federal Trade Commission: FTC）が中心的な役割を果たしており、その業務内容も多岐にわたる。本報告では、FTC による幅広い活動の中でも、消費者被害への救済に強く関連する、消費者被害回復措置（consumer redress）および民事制裁金（civil penalty）を中心に、消費者保護の法執行の一端を紹介する。その中では特に、行政手続だけで完結するのではなく、あえて司法手続を通じた金銭的救済を FTC 側が求めることが多く、それが消費者保護施策において重要な機能を果たしている側面に焦点を当てる。

2　消費者被害回復措置

　FTC 法13条 b 項に基づき、FTC は、執行可能なあらゆる規定に違反する行為または慣習の差止を求めて、連邦地方裁判所に訴えを提起することができる。同項が規定された当初の目的は、企業間の合併を暫定的に差し止めることにあったものの、判例法によって、被害を受けた消費者に原状回復をもたらすことを目的として FTC が行う多様な金銭的返還措置が認められるようになった。裁判所が出す金銭的な救済は、不当利得の吐き出しと、原状回復または契約解除としての消費者への金員の返還の両方である。

　それ以外にも同項は、消費者救済措置のための資金を確保することを目的

として、FTCが被告事業者の資産凍結を実施することができると判例上解されてきた。さらに、FTCには、消費者の救済措置を担保するために、破産手続中の事業者の資産に対しても保全手続を進める権限があるとされている。

　被告事業者の支払能力が不足しているために、消費者被害の総額を下回る金額で和解に至るような事案において、FTCが同意判決に入れるのを求めることが多いのは、いわゆる「雪崩条項」である。これは、被告事業者がその財務状況についての実質的な虚偽申告をしていた場合に、当初の和解額よりも高い金額を即時に支払う内容の条項である。これは、被告事業者による財産の隠匿の抑止効果を狙ったものとされている。

3　民事制裁金

　民事制裁金とは、制定法違反について連邦・州などの行政機関が、行政手続および裁判所での判決に基づいて課すことのできる非刑事的な金銭的制裁である。環境規制、経済規制などの分野において、行政機関が規制法違反者に対して求める制裁金として広く認められている。

　消費者保護の分野では、1938年のFTC法改正の際に5条にl（エル）項が追加され、FTCが出す排除措置命令に事業者が違反した場合に、FTCが連邦地裁に民事制裁金を求めて出訴できるようになった。1973年に連邦議会は、違反行為ごとの制裁金額の上限を5000ドルから1万ドルに引き上げており、2019年現在、上限は4万ドルとなっている。さらに、1975年のマグヌソン・モス保証法によって、FTCによる民事制裁金が適用される範囲が劇的に拡大した。同法によりFTC法5条にm項が追加され、FTCが策定した取引規制ルールの違反行為にも民事制裁金を課すことができるようになった。

　FTCは、既決の行政手続における排除措置命令または以前の訴訟で問題となっていた排除措置命令に再び被告が違反している場合には、連邦地裁に民事制裁金を求める訴えを提起することができる。一連の違反行為を一括してではなく、個別の違反行為が民事制裁金の対象となる。

　事実審理においては、被告が排除措置命令の違反を犯していたことの立証責任は、FTC 側にある。FTC は、原告側の当事者という地位にある者に過ぎず、被告と対等の地位にあり、何らかの特権が与えられているわけではない。他方、被告事業者には、関連する事実に関する証拠について審問する権利がある。

　問題とされている行為が排除措置命令違反にあたると認定された場合、民事制裁金の算定を行うのは専ら裁判官の権限に属する。金額の決定にあたっては、裁判官の広い裁量が認められており、法的責任の成否の際には排除されていた、①被告事業者の誠実性、②被告の行為によって公衆に引き起こされた損害、③被告の支払能力、④違反行為から得られた利得を吐き出そうとする意思の程度、⑤FTC の権限を正当化する必要性などの数多くの事項を考慮に入れることができる。その中でも、被告事業者の誠実性が最も重要な要素であるとされる。被告が違反行為を知っていたか否かを問わず、法令違反を犯す以前の一定期間において、関連する別の命令に誠実に従っていた場合には、民事制裁金額を下方修正することができる。

　100万ドル（1億円超相当）を超える民事制裁金の支払命令が、判決でなされる事案も相当程度見られる。しかし、FTC から提示された民事制裁金の額をめぐって被告事業者は交渉することが可能であるため、裁判に持ち込まれる前か、訴訟になっても判決が出る前に、両者の間で和解が成立する場合が現実には圧倒的に多いと言われる。

　FTC 法5条1項に基づく民事制裁金に加えて、同法5条 m 項を根拠として、2種類の違反行為について、FTC は連邦地裁に民事制裁金を求める訴えを提起することができる。まず、同項1号 A に規定されている第1のタイプの違反行為があれば、FTC には民事制裁金を請求する権限が与えられることになる。法令に基づく一種の委任規定である取引規制ルールには、不公正または欺瞞的であると思料される行為類型が明確に定義されていなければならないが、FTC には、そうした行為または慣習を防止するためのルール策定、および現実の事案における違反行為に関する事実認定をめぐる広い

裁量が認められている。現時点において、30を超える取引規制ルールが存在するが、その対象は、住宅用絶縁材のラベリングおよび広告から、通信販売、訪問販売、フランチャイズ、中古車販売、葬儀業の商慣行に関するものまで多岐にわたっている。

　FTC法5条m項のいま一つの規定が同項1号Bであり、これを根拠として、自身ではない他の事業者に対して以前に発令された排除措置命令について、これを知りながらあえて違反した事業者を被告として、民事制裁金を請求する訴えをFTCは提起できる。この規定によれば、個々の裁判での判示内容を実質的に当該業界全体でのルールに拡張することが可能で、しかも最初の行政手続を繰り返すことなく、当該ルールを裁判所で直接に執行できるという画期的な内容となっている。

4　結びに代えて

　以上、FTCによる消費者被害回復措置および民事制裁金の概要を見てきた。その中で浮き彫りになったのは、司法手続への傾斜、すなわち、消費被害者の救済や違反事業者への制裁・抑止といった行政目的の達成のために、FTCが積極的に裁判所を活用しているという点である。そして裁判所は、被害の類型・広範性・継続性、被害者の特定の度合い、加害行為の悪質性などの、加害行為や被害の態様にも柔軟に対応した救済・制裁措置を講じている。

　クラス・アクションや懲罰的損害賠償制度などの、私人による訴訟提起の条件が整っているアメリカにおいてでさえ、消費者救済は、消費者自らによるものよりも、行政機関によって図られているという側面が強いと言われている。この意味でも、アメリカでの行政主導による消費者保護の経験は示唆に富むものである。

　※　大会予稿を掲載した「アメリカ合衆国における行政機関による司法手続を通じた消費者被害の金銭的救済」現代消費者法40号（2018年）42頁以下も参照されたい。

第11回大会シンポジウム
「消費者被害の救済と抑止の手法の多様化」報告⑦

行政処分による消費者被害救済

獨協大学准教授　宗田　貴行

1　各行為類型の金銭的被害の救済の現状

　不当景品類及び不当表示防止法（景表法）上の不当表示の金銭的被害の救済も、特定商取引に関する法律（特商法）上の不実告知の事例における金銭的被害の救済も、消費者契約法上の不当条項の事例での金銭的被害の救済も、不十分なものとなっている。

2　行政処分による被害回復制度の現状

　行政庁が事業者に対して被害金額の返還等を命じる制度が皆無というわけではない。現状では、行政処分による被害者救済は、違反の抑止・被害拡大の予防に尽きるとされてきた行政処分に基づいて、なぜ被害救済が行われうるのか、その要件は何であろうか。検討する手がかりとして、ドイツにおける競争制限禁止法（以下、「GWB」という）上の議論を検討する。

3　GWB上の妨害排除請求権に基づく金銭支払請求

　市場支配的地位にある事業者が、取引相手方に対し、不当に低い価格で商品又は役務を購入することが、GWB上の市場支配的地位の濫用（同法19条・20条）とされる場合に、当該取引相手方が同法上の妨害排除請求権に基づき追加的支払請求を行うことが、1990年代以降、判例・学説上認められている。これについては、宗田貴行「搾取的濫用行為と独禁法上の行政及び民事的エンフォースメント──ドイツ競争制限禁止法における議論を参考にして──

�±）」獨協法学96号（2015年）217頁〜225頁。

4　カルテル庁の違反中止処分

　上記3を参考にして、カルテル庁の行政処分に基づく返金命令が可能とされている。

　カルテル庁の違反中止に係る行政処分には、①将来の違反の不作為を命じる予防的中止処分、②すでに1回違反が行われた場合に将来の違反の継続又は反復の不作為を命じる継続・反復中止処分（以上、同法32条1項）、③すでに違反が行われている場合に、過去及び現在の違反及び違法状態の排除を命じる違法状態排除処分（GWB32条2項）があることが、判例・通説となっている。このうち違法状態排除処分に基づき、カルテル庁は、公共料金の不当な値上げの事例において、違反事業者に対し消費者への超過支払額の返還を命じてきた。この運用を踏まえ、近時の改正によって、同法に、利益返還命令（GWB32条2a項）が明記された。利益の返還が命じられるためには、第1に、処分の目的からの要請として、「違反行為により生じなお現存する違法状態の排除」と作為たる「利益の返還」とが同義である場合に限り、係る返還を命じうることとされる。第2に、行政処分に対する3つの要請がある。すなわち、Ⓐ違反を実効的に排除するために十分であること（十分性の要請）であり、例えば、利益の額よりも返還額が下回ることは許されない。Ⓑ受命者の財産権、営業の自由の保障等との関係上、必要最小限のものであること（最小限の要請）である。Ⓒ命令が受命者にとって履行可能な程度に具体的であること（特定性の要請）である。

　これらの要請上、不当高額販売自体を市場支配的地位の濫用行為（GWB19条・20条）として認定する場合には、違反により生じなお現存する違法状態は、不当に超過して支払わされた状態であるため、その排除と、超過支払額分の返還が同義であることから、上記違法状態排除処分に基づき、購入者が不当に超過して支払った金額分につき、購入者たる消費者への返還を違反事業者に対し命じうる。例えば、Entega事件に関する連邦カルテル

庁2012年3月19日決定は、暖房用電力の顧客への総額約500万ユーロの返還を命じている。

5　消費者庁等の措置命令・指示に基づく金銭的被害救済

　我が国の消費者庁等の景表法上の措置命令及び特商法上の指示には、①将来の違反の不作為を命じる予防的措置命令及び予防的指示、②すでに1回違反が行われている場合に、将来の違反の継続又は反復の不作為を命じる継続・反復差止措置命令及び継続・反復差止指示、すでに違反が行われている場合に、過去・現在の違反及び違法状態の排除を命じる違法状態排除措置命令及び違法状態排除指示がある。

　違法状態排除措置命令・指示の目的からの要請として、公正取引委員会の排除措置命令の場合と同様に、景表法・特商法「違反により生じ現存する違法状態」が、「不当に高額な支払いをさせられたこと」である場合に、返金は違法状態の排除と「同義」になるため、消費者庁等は、措置命令・指示に基づき返金を命じることができると考えられる。具体的事例において、行政処分に対する3つの要請（Ⓐ十分性、Ⓑ最小限性、Ⓒ特定性）に合致する形で返金が命じられる。

　消費者庁等が、例えば、不当表示を違反として認定した場合には、認定された違反及び違反により生じ現存する違法状態たる消費者の誤認を解消するためには、返金ではなく、①不当表示物の除去、②訂正広告の配布等による誤認の解消で足りる。このため、この事例において返金を命じることは、上記処分の目的に反することになり、許されない。

　「不実告知や不当表示によって誤認させた消費者に実際に購入させたこと」を新たに違反行為類型として政令・省令や法律において規定し、係る行為を違反として認定する場合には、違反により生じなお現存する違法状態は、①消費者の誤認状態と②欲しない商品を購入させられたことである。したがって、この場合には、処分の目的からの要請に照らし、違法状態排除処分に基づき、上記行政処分に対する3つの要請に合致する形で、①不実告知の不作

為のための措置、⑪誤認解消のための措置及び⑫返金を命じうると考えられる。

6　適格消費者団体の差止請求権

消費者契約法、景表法、特商法等の適格消費者団体の差止請求権には、①1回目の危険の排除のための不作為を請求する予防的差止請求権、②継続・反復の違反の危険の排除のための不作為を請求する侵害継続・反復差止請求権、③違反により生じなお現存する妨害状態の排除のための作為を請求する「停止若しくは予防に必要な措置」との文言において規定される妨害排除請求権がある。上記行政処分の検討を参考にすると、不当表示の事例において適格消費者団体の妨害排除請求権に基づき当該表示の撤去・誤認解消措置と併せて返金請求が可能となるには、上記行政処分と同様、省令等において、違反行為として「不当表示によって誤認させた消費者に実際に購入させたこと」を明記すべきといえる。不実告知の場合も、これとほぼ同様である。

7　返金命令の実効性確保手段

まず、返金額の立証責任は、消費者庁等にあると考えられ、算定は概算では許されない。返金額の算定の困難の問題が生じる場合については、GWB上のカルテル庁の利益返還命令に関する議論を参考にすれば、返金額算定の基礎となる事実の証明に要する証拠が、被審人事業者の下にしかなく、消費者庁等が他からは入手が不可能である場合に、被審人事業者が、その証拠を提出しないときには、具体的陳述を行わなければ、行政手続協力義務違反として、真実擬制がなされ、行政庁の主張する額での認定が可能と解するべきである。

次に、GWB上の利益返還命令について、受命者が、利益返還命令等上記の各処分に故意又は過失をもって従わない場合に、履行の間接強制金の支払い（同法81条2項2号）が命じられる。命じられる金額は、原則として、最高100万ユーロであるが、処分において認定された年における関連売上額の

10％を超えない額まで増額可能である（同条４項）。景表法の措置命令違反（同法36条）・特商法上の指示違反（同法71条２号）に対する罰金額を引き上げることが考えられる。

8　返金命令の効用と限界

返金命令の効用として、①不当利得返還請求との比較においては、法律行為の無効を要さないことが挙げられる。②不当表示や不実告知は、必ずしも故意や過失の立証が容易であるとはいえないため、損害賠償請求との比較においては、故意・過失を要さないことが意味を有する。③課徴金との比較においては、課徴金の場合に金銭は国庫に支払われ、被害者の救済にならないのに対し、返金命令によって被害者に金銭が支払われることである。④民事的手法との比較においては、行政手法の優位性が挙げられる。行政的手法である指示等に基づく返金命令によっては、民事的手法とは異なり、違反と関係するすべての被害を回復「しなければならない」（must）からである。

返金命令の限界として、Ⓐ支払先が明確でも、返金額が低すぎ、返金額と個別の返金に要する費用とが不均衡な事例には向かないことが挙げられる。このような事例については、課徴金の対象とすることや、消費者保護のための基金への支払いとすることが考えられる。

Ⓑ返金先が不明である事例には無力であることが限界となる。そのような事例においては、違法収益が違反企業に残存することとなり違反の抑止にもならないことから、景表法上の課徴金が意味を有し、さらに、適用範囲を特商法違反にも拡大することが必要といえる他、消費者保護のための基金への支払も検討されるべきである。しかし、将来的には、キャッシュレス決済化による支払い先の明確化と返金費用のゼロ化の可能性があることを指摘しうる。

※　大会予稿を掲載した「行政処分による消費者被害救済」現代消費者法40号（2018年）51頁以下も参照されたい。

ディスカッション

第11回大会シンポジウム
「消費者被害の救済と抑止の手法の多様化」ディスカッション

　7名の報告者による研究報告がなされた後に、3名のコメンテーターから
コメントがなされた。その後、討論参加者と各報告者との間で質疑応答がな
された。

【司会（吉田）】　では、3人の指定討論者からの発言をいただきます。最初
は青山学院大学の河上正二先生です。よろしくお願いします。

【河上】　河上でございます。私には民事責任の観点からコメントせよと言わ
れています。今日の皆さまの報告をうかがって、諸外国のありようを知るに
つけ、ただただ羨ましいばかり、本当かなと少し思うぐらいうまくいってい
る様子です。

　消費者法における民事責任は、特に当事者、消費者個人レベルでの個別的
な被害救済ということに結び付いた事業者の責任という形で問題となるわけ
ですけれども、この民事責任の効果はおそらく事業者に対する一般的抑止と
いう類のものではなく、せいぜいが間接的効果という形でしか機能しないと
考えられてきたことは事実です。昭和35年の最高裁判所判決では、食品衛生
法上の許可を受けていない食肉販売業者による精肉販売、これも無効となる
ものではないとされ、行政取締法に違反する行為が私法上必ずしも無効にな
るものではないということは、最高裁判所も繰り返し判示していたわけです。

　ただ、結論から申しますと、日本においても消費者法における民事責任は、
着実に「社会化」の一途をたどっていることは間違いありません。同時に、
伝統的には民事責任と考えられていなかった一定の規制が民事の世界に影響
を及ぼしつつありまして、その意味では相互の「にじみ出し」と申しますか、
浸潤作用のようなものがあることは、これはまた否定できないと思います。

　すでに「適合性原則」違反を不法行為責任と接続させた判例の存在がある
ことはよく知られているところですし、不正競争防止法、商標法違反の商品
を大量に販売するという行為が民法90条違反ということで、私法上無効とさ

37

れた判決もあります。もう少し古くは、例の食品衛生法上の有毒性の物質であるホウ素が混入したアラレ菓子の販売行為、これが民法90条で無効になった例もあります。したがって、全体としてみて、従来は公法・私法と分けられてきたものについて、少なくとも法益侵害の重大性と私法上の効果を結び付けることで市場の公正・安全の確保という観点から、行政取締法違反も民事責任の領域ににじみ出してきているということは、これは間違いないと思われます。

　また、今日も何人かの方の整理の中で出てきましたが、適格消費者団体による差止請求、あるいは特定適格消費者団体による集団的な損害賠償の共通義務確認訴訟手続といったようなものは、個々の消費者被害の救済にとどまらず、市場における事業者の行為規制でもあるとか、行為規範の策定に向かっていることもしばしば指摘されています。

　つまり民事規範のあり方、ひいては、そこでの民事責任のあり方を探る作業は、結果的に事業者の市場における行為規範の策定と緊密に結び付いているといわねばなりません。事業者自身もおそらくこうした私法上のルールが、自分たちの行為に伴うコストあるいはリスクと認識するようになってきているということで、そこでの行為規範に影響を与えていることは、これはおよそ間違いないと思われます。

　とはいえ、事業者の行動を積極的に変えたり、あるいは矯正したり予防したりすることに直結して、違法な活動に対する制裁を加えるといったような機能は、今のところ、やはり行政規制あるいは刑事責任の追及を待たねばなりません。そのための手続などもハードな手続が用意されていて、民事の場合にはそういうものがないわけです。

　その結果、消費者法全体は、ある意味では「モザイク模様」をなしていて、規制のベスト・ミックスを探るという段階にありまして、個人的には少なくとも当面はこの方向を追求しつつ、確かに限界はありますが、それぞれの浸潤作用に期待するのが現実的ではないかと考えているところです。

　本日の報告では、比較法的な問題状況を規制主体に着目してみせていただ

いたわけで、啓発されることも多かったのですけれども、諸外国でこれほどまでに公的機関が活躍しているのは、一体なぜだろうかということに興味がわきました。おそらく、松本（恒）先生は、日本でももっと公的機関が重要な役割を果たしていくべきであるという点をめざして強調しておられるのだろうと推測しました。

　ただ、私は報告をうかがいながらずっと疑問だったのは、外国でそれができて、なぜ日本でそれが低調なのかという点です。それはただ単に日本の行政機関が怠惰で、何もしようとしないという後ろ向きの姿勢のためだけなのか、それとも何かもう一つ、日本でのそうした問題に対する抑制がかかっている要因があるのかどうかというあたりについての分析を、後ほどでも結構ですから、教えていただければありがたいと思いました。

　おそらく、理論上の問題の一つは、いわゆる「概念の相対性」なのではないかと考えられます。同じ自動車事故であっても、運転手の過失は刑事の場合と民事の場合では明らかに違う判断を受けるということはよく知られています。消費者法の世界でも民事、行政、刑事、それぞれで、たとえば不当な勧誘行為という場合の「不当性」という言葉の意味するところは、法の目的に応じて、おそらく全く同じではないという議論が常に出てくるのではないかという気がします。

　ちなみに不当景品類及び不当表示防止法（以下、「景品表示法」という）の優良誤認、有利誤認というのは、これは行政機関による規制対象になっているわけですが、それが直ちに消費者契約法における誤認惹起行為としての取消しの根拠とまではならないということになっているのですが、そこを同じように扱うべきかどうかということが問題となります。

　あるいは、今後は公法・私法の分離、あるいは概念の相対性という考え方自体を少なくとも消費者法の世界では放棄すべき状況まできているのかどうかを考えてみる必要があります。確かにいろいろな形で民事規制、行政規制、刑事規制のさまざまな効果が結び付けられて展開し始めているということは事実ですが、はたしてどこまでそれを貫けるのかというところは、やはりま

だまだ検討課題です。

　少なくとも消費者の利益にかかわる局面で、そうした公法・私法の平準化に進んでよいかどうかという判断を、教えていただければありがたいというのがコメントの第1点目です。

　第2点目の理論的疑問は、これもよく言われることですけれども、国民の税金で活動する行政機関が、私人の損害の塡補という特定個人の救済のために活動してよいのかという反発、これにもやはり根強いものがあります。私が内閣府の消費者委員会にいた頃も、事業者側委員の方々と議論をさせていただきながら、必ずこの問題にぶつかりました。これをどう考えるか。

　これを克服するには、おそらく当該個人を救済することが潜在的顧客である市民全体を益するといえるような状況が整わないと、なかなか難しいのです。外国でこのあたりをどのように整理しているのかということをうかがえればと思います。「公益的」という言葉が出てきますが、その部分をどのように日本で克服していけばよいか、方向性だけでもよいから教えていただければと思います。おそらく、日本の消費者法制は、良かれ悪しかれ、個人的民事救済に関する民事効でもっぱら対応するものと、一般的な取締規定や登録制度、あるいは規制基準策定などを通じて行政規制でもって予防的に対処するもの、それぞれの手法が被害の回復、予防、拡大防止、市場の適正化などを通じて、消費者の権益保護のために重層的に機能していると考えられます。

　かかる規制のいかなる組合せが最善であるかという観点から議論しているのが、おそらく現段階の状況でして、一足飛びに行政による規制、執行、あるいは公益訴訟、そして最終的には分配という形に転換するには、あまりにもハードルが高すぎるという印象があるわけでして、当面はこの「最善の組合せ」という方向性を追求する以上のことがなかなかできないのではないか、それがまだ現実的ではないのかということです。

　ただ、事業者の市場行動規制にシフトした議論が、当該領域における自主規制の実効化を含めて、今後ますます重要になることは、私も間違いないと

考えているところでして、今回の報告から、日本としてどこまでこれを取り入れながら前に進めるのかというあたりについて、あらためて議論をしていただければありがたいと思います。以上です。

【司会（吉田）】 どうもありがとうございました。続きまして、東京大学の山本隆司先生からお願いします。

【山本（隆）】 それでは、私のコメントでは、諸報告で取り上げられました問題を大きく三つに整理しまして、もっぱら私の専攻する行政法学の観点からコメントしたいと思います。

第1の問題群は、いわゆる救済の問題、すなわち消費者に対する事業者の損害賠償を行政機関が訴訟を提起して、または行政処分によって請求するという制度が考えられるのか、そして、こういった制度の可能性を考慮に入れた場合に、特定適格消費者団体による損害賠償請求、特にそこにおける費用負担をどのように評価することになるかという点です。

この点に関しては、一般に損害賠償請求のような個別の民事法関係の規律を行政機関が行う制度、これは独立行政法人国民生活センターの仲裁等々のように、裁判外紛争解決手続（ADR）の制度、いわゆる行政型 ADR ということで、消費者法の分野に限らず存在し、したがって、およそ行政機関が個別の民事法関係を規律できないというテーゼは、理論的には全く理由がないということはすでに論じられていますし、実定法上も妥当しないといえます。

そうすると、問題はむしろ実体法上解決すべき問題に対する手続や組織のあり方、つまり実体法と手続組織との対応関係にある。すなわち、個別の民事法関係について、個別の事情を考慮に入れて細かな判断をすることになりますと、通常は民事の訴訟手続をはじめとする紛争処理手続が適しているわけでして、したがって、行政機関がやる場合にも、いわゆる準司法手続、あるいは準司法的な組織形態の行政機関が限られた分野で活動するという、先ほどの行政型 ADR になるわけです。

他方で、先ほど宗田報告の中にありました、通常の行政機関が通常の行政手続によって、行政法規違反を認定し、その効果として、直接根拠づけられ

る違法状態改善措置を命令する制度ですけれども、これも考えてみますと、ごく一般的にみられるものです。法律上の根拠があれば、経済取引がそれ自体として行政法規に違反する場合に、その効果として直接導かれるような違法状態改善措置を行政機関が命ずることは、可能であろうと思われます。

　ただ、先ほど述べたような手続や組織の適性という観点からいいますと、通常の行政機関や通常の行政手続においては、誰に対して具体的にどのような措置をとるべきかというところまで決定し尽くすことはできないのが、むしろ一般的であり、結局は、行政法規違反行為が認定された事業者に対して、必要な原状回復措置の個別具体的な内容を調査し、あるいは検討し、そのための費用を負担することまで含めて命令することになると思われます。

　それでは、訴訟を提起するのはどうだろうかという点ですが、行政機関が消費者に対する損害賠償を実現するために裁判所に申立てを行う手続は、法律上の争訟ではないというのが現在の判例理論であろうとは思いますが、しかし、およそ憲法上の司法権になじまないとまではいえないと思われます。したがって、法定することは考えられるわけですが、問題は手続の効率性にあろうと思われます。

　つまり、仮に行政機関による裁判所への申立てを制度化するとしても、行政機関は当然その前提として調査を行います。そして、自分の判断を固めるところまで調査が必要になります。そうであれば、行政機関が行政処分を行い、不服があれば事業者が出訴するといったしくみのほうが効率的ではないかということがあります。

　その点が英米法と日本法で若干異なるところでして、英米法の場合には司法による執行を優先する考え方があるわけですけれども、日本の場合には必ずしもそれがないということがあります。

　したがいまして、行政機関が裁判所に申し立てる制度をつくる場合には、それなりの理由が必要になろうかと思います。一つ考えられることは、先ほどアメリカの話が出てきましたが、資産保全、それから日本でも例がある破産手続のように、消費者保護のために事業者の財産に強い措置をとる場合に

は、裁判所の手続のほうが適しているということがあります。

　それからもう一つは、国民生活センターのように、準司法的な手続をとる準司法的な組織を備えた独立の行政機関が集団的な利益保護のために訴えを提起するというしくみが考えられるのではないかと思われます。

　先ほど中国あるいはブラジルの話で、検察官がもう一つの主体として出てきましたが、中国やブラジルの場合には、検察官が憲法上の地位をもっていて、強い権限をもち、そしてその事務の範囲も非常に広いということがありまして、日本にそれをそのままもってくるのはなかなか難しいであろうと思われます。ただ、中国やブラジルの制度が示唆するように、では、専門の行政機関だけに任せておいてよいだろうか、それはそうではないでしょうというところは、確かに日本でも考えなくてはいけない点で、そこが日本ではむしろ団体訴訟という形で制度化されていることは、ご承知のとおりです。適格消費者団体と特定適格消費者団体による出訴のしくみです。

　先ほど申し上げたことからしますと、このうち適格消費者団体が行う差止請求と、それから特定適格消費者団体が行ういわゆる第一段階の訴訟である共通義務確認訴訟、これは通常の行政処分権限と機能的に等しいととらえることが可能であると思われます。行政法を専攻している者の目からみると、そのようにみられるところがあって、その意味では第二段階の簡易確定手続とはかなり性質が違うのではないかと感じます。

　したがいまして、共通義務確認訴訟は、いわば損害賠償請求から通常の行政処分の対象となる事業者の違法行為是正義務をくくり出した制度とみることができるのではないかと思われます。

　ただ、そう考えますと、いろいろ問題がある。つまり、共通義務確認訴訟が行政処分と機能的に等しいにもかかわらず、必ずしも制度上そうなっていないところがある。これは松本（恒）先生が先ほどクロレラ事件の例を出して言われたとおりですし、さらに根本的な問題としては、団体訴訟を設けた趣旨、すなわち個々の消費者が情報交渉力の点で不利な状況にあるという問題が、それでは団体訴訟の制度化によって解決したかというと、実は団体に

おいて、別の形で表れているということも、先ほどからのいろいろな報告にあったとおりです。すなわち、情報を必ずしも十分入手できない、あるいは費用負担の点でも、なお問題があるということです。

　あまり時間がありませんので、問題の指摘だけにいたしますが、第2の問題としては抑止の問題がありまして、違法収益の剥奪、非刑事的な金銭賦課による制裁の制度、これが日本ではまだまだ遅れているということがあり、これをどう考えるか。そして、これらの制度と損害賠償請求との関係という点も、今後さらに日本で考えなくてはいけないと思います。

　この違法収益の剥奪と制裁は、アメリカでは disgorgement と civil penalty として、またドイツでも特別法による制度とゲルトブッセという形で分けられているわけでして、その間の関係をどう考えるのか。さらに損害賠償請求との調整も、たとえばドイツ法では可能ですので、そのあたりの関係づけをさらに考える必要があるということです。

　最後に第3の問題としては、事業者の合意による予防および救済の制度についてです。これは最初の菅報告、あるいは前田報告の中で出てきたところです。こういう一種の合意によって、問題を解決するやり方は、たとえばフランスなどでも行政制裁のみならず刑事制裁を科す場合であっても、行政機関と交渉して一種の解決を図ることがあります。刑事制裁までいきますと、さすがにそこまでやってよいのかという問題が出てきますが、行政制裁を背景にした合意の形成と合意による解決のやり方は、あり得るのではないかと思われます。

　ただ、ここも根本的な問題がありまして、日本では行政機関が行政処分にかかわる事柄を和解によって解決することが一般的に学説上否定されています。日本がよく参照するドイツにおいては実定法上認められていまして、行政処分であっても和解の対象になるという形で、合意による解決がより広範に認められています。これは消費者法の問題を超える問題ですけれども、一般的に考えていかなくてはいけない問題であろうと思います。

　以上で私のコメントを終わります。

【司会（吉田）】 どうもありがとうございました。それでは、指定討論の最後ということになりますけれども、弁護士の池本誠司先生からお願いいたします。

【池本】 池本でございます。私は適格消費者団体にかかわっているということで、その観点からというのが、発言の機会をいただいたきっかけだと思います。適格消費者団体および特定適格消費者団体の認定も受けて、特にこの2カ月〜3カ月、集団的消費者被害回復訴訟の対象にできる事案を具体的に検討し始めてみて、やはり行政機関による被害救済制度は絶対に必要だなと、私たちがやるのは、その外延のところでどのようなことができるかの議論だなということを痛切に感じています。

というのは、まず対象事案、これは第一次の訴訟を進めているうちに倒産して消えてしまうようなところはそもそも相手にできません。ジャパンライフとかそのようなものは対象にできないのですかと問われても、そういうものをそもそも今の制度では対象にできません。むしろ、それは行政庁がきちんと情報を集めて、速やかに対処してもらわなければいけません。

そもそも特定適格消費者団体には事業者内部の資料を入手することもできないし、財産の所在を把握する力もないわけですから、提訴の段階で相手の財産を仮差押えするといっても、現実にはそう簡単ではないというか、むしろ困難です。それ以上に、財産があるということがわかっても、あるいは被害総額がおおよそ推定ができたとしても、どの程度の人が被害の申出をするか、参加するか予想がつきませんから、場合によっては過剰差押えのおそれも出てくるということもあって、仮差押えを有効に活用するというのはほとんど不可能に近い、そのような問題です。

その意味で、まずは行政機関の被害回復制度というのをしっかりつくってもらい、それとのすみ分けで私たちの手続をどのような場面で活用するかというふうになっていくのではないかと思います。

その意味で、先に行政機関における被害救済のことについて少し問題意識をお伝えしたいのですが、今お二人のコメントの中でもほぼ出ていたと思い

ます。たとえば、籾岡先生が紹介されたアメリカのような行政機関が司法手続を使って法執行を行う、あるいは被害回復も行うというのは、非常に有力な手段だということは間違いないのですが、わが国の行政庁というのは、伝統的に自ら事実認定をし、自らが処分を下すという制度で、いわば完結した制度でずっと長くやってきています。その中へこのような司法手続を利用するということを、どう理論的に、あるいは具体例として突破していくのか。あるいは逆に、そのような司法を使うからこそ、判断が不明確なところも一歩踏み出せるのだという意味で価値があるのか、そのあたりはぜひ議論していただきたいと思います。

　他方で、宗田先生が紹介されたドイツの行政処分のように、行政処分を通じて被害救済制度に結び付けるというのが、わが国の制度にむしろなじむと考えたほうがいいのか。一体どちらなのだろうかということもあります。この点は先ほど山本先生のコメントの中にもあったところです。

　あるいは、現在のわが国の集団的消費者被害回復制度はブラジルの二段階訴訟を参考にしてつくられましたが、先ほどの前田先生の紹介にあったブラジルの制度というのは、その制度を民間団体もやるけれども行政機関も使うという、そういう今の制度の延長というか、その母国の制度を参考にして入れるという、それも一つのルートかなと非常に魅力的に感じました。

　それから、制度の選択というよりは、白出先生から紹介された中国の公益訴訟制度のことなのですが、実は私はそこまで中国が進んでいるというのはごく最近知ったばかりなのですが、インターネットでいろいろ調べたり、大学院の留学生から聞いたところ、企業側の弁護士はこの問題をしきりに議論しているということでした。インターネットで調べると、たくさんコメントが出ているのです。わが国の企業が中国と取引しているところはたくさんありますから、そういう人にとっては非常に関心の高い課題で、むしろ消費者側の弁護士より彼らのほうがずっと先を行っていて、この問題も関心をもって議論しているということがわかりました。その意味では、私たちも負けずに議論を進めていく必要があると思います。

ディスカッション

　そして、私は消費者行政組織の充実・強化ということに前から関心がある
のですが、その点では菅先生が紹介されたイギリスの地方自治体の取引基準
局の取引基準官などは非常に魅力的な制度に感じました。やはりそのような
主体の充実ということをやらなければ、たとえば特定商取引に関する法律
（以下、「特定商取引法」という）の執行権限は都道府県に与えられていますが、
過去５年間で１件も業務停止命令や指示処分を出していないところが16自治
体あるということも起こっています。そういうばらつきを何とか解消して、
全体を底上げして執行力を国全体で上げていくという意味でも、イギリスの
制度は非常に参考になると思います。

　そして、町村先生が報告された団体訴訟制度の実情と課題はすべて私も賛
成で、後でそれについて補足させていただきたいところがあります。

　あまり時間がないのですが、これから意見というか、この後議論していた
だきたい観点を２、３点申し上げます。

　一つは、今のような大きな制度として何を導入するかというよりも、もっ
と入口のところで切実な課題がいまだに残っているということがあります。
それは、特定商取引法の業務停止命令あるいは指示処分というものが、違法
行為が中止された場合には執行できないと解釈運用されているわけです。こ
のごろは、訪問販売業者でもあるいはネット通販業者でも、短期間に悪さを
して、いつの間にか消えてしまうというものが増えています。そういうもの
について、違法行為が終わった後でもきちんと被害回復も視野に入れて行政
処分が出せるようにする必要があるのではないか。景品表示法にはそのよう
な規定が明文で入っていますが、特定商取引法にはありません。

　そうすると、行政処分というのは将来の被害を防止するだけではないのだ、
現在の違法状態の回復、あるいは被害の救済のためにも使うのだという、そ
この根本の法目的から議論しておく必要があります。

　同じことが適格消費者団体の差止請求についても、違法行為がやんだら差
止請求は却下されるという最高裁判所の判決がありますが、ここも法目的と
の関係でどう考えるのかということは、ぜひ議論していただきたいところで

47

す。それが１点。

　それからもう１点、これは行政庁による破産申立権をぜひ考えていただきたいと思います。それは何かというと、昨年（2017年）のジャパンライフ事件で、消費者庁は１年間に４回にわたって業務停止命令をかけたけれども、それでも潰れないで、今年（2018年）の３月にようやく破産手続開始決定が出ましたが、財産はほとんど残っていませんでした。これが破産手続開始の申立てがもっと早い段階でできれば、もっともっと財産が保全できたのではないだろうかという問題です。

　行政から裁判所に申立てをして、ここから先は裁判所の民事の破産手続の中で進めてもらうという、せめてそのくらいの権限が行政にあってよいのではないでしょうか。金融商品取引業者に対して、金融庁にはそのような権限があり、これは金融市場の公正さを確保するためのものだというような説明がされていますが、もっとはっきりと行政庁は既存の被害者の被害回復に向けた最小限の行動がとれるのだというところを、きちんと議論していく必要があるのではないでしょうか。

　問題は、それをあらゆる法律全体に入れるのか、たとえば特定商取引法とかそのような法律にまで入れるのか、どのような法律に入れるのか。たとえば特定商品等の預託等取引契約に関する法律（以下、「特定商品預託取引法」という）、これは金銭であれ、物品であれ、全員がある意味債権者ですから、債務超過、支払い不能というのは非常にわかりやすい分野ではないかという気がします。もっとも今、内閣府消費者委員会で議論しているのは、特定商品預託取引法を改正して破産申立権などを入れるという方向で考えていくのか、もしくは金融商品取引法の集団投資スキームの中へ取り込む方向で考えていくのかというあたりです。どちらへ進むかはまだわかりませんが、今日あったように、行政庁がどのような目的で、あるいは適格消費者団体もどのような役割をその中で担うのか、どのような制度にさらに深めていくのかについて、ぜひ議論を幅広にやっていただきたいと思います。ありがとうございました。

【司会（松本（恒））】 それでは、ディスカッションに入っていきます。全部で二十数通の質問をいただいていますが、2時間少しの間にやっていきたいと思います。それぞれ質問していただいた方に、簡単にその内容をお話しいただきまして、該当する報告者に回答していただきます。1人、質問というよりは、むしろ事件を紹介したいという方がいらっしゃいますので、それは最後のほうにさせていただきます。

まず、私あての質問ですが、私と町村先生あての質問があわせて3通ほどあります。弁護士の染谷隆明先生から、景品表示法絡みで私への質問が出ていますので、お願いします。

【染谷】 染谷でございます。本日はありがとうございました。私は、もともと消費者庁の表示対策課におりまして、まさに今日、何度か議論にあがった景品表示法の課徴金制度の立案を担当させていただいていました。

そこでうかがいたいのですけれども、課徴金制度も現在課題があるということがよくわかりました。課徴金制度が2016年4月1日に施行されてもう2年半経つわけですが、課徴金制度の見直しについて必要があるのかどうかとか、またはどのように変えたらよいかという点について、ご意見をうかがえたらと思っています。

また、課徴金制度ができたとき、衆議院、参議院において附帯決議が付されておりまして、課徴金の算定率や規模基準については不断の見直しが必要であるとされているところです。少しだけ、時間との関係があるので簡単に申し上げたいと思うのですが、もともと課徴金制度は算定率が3％でして、課徴金制度の目的が違反行為を経済的な不利益を与えることによって抑止するというものなのですが、3％という課徴金率で、はたしてその目的が達成できるのかというところについては検討すべき事項であると考えています。

もともと不当表示の抑止ということが目的なのですけれども、表示対策課が頑張っているだけではないかという気もするのですが、昨年度の処分件数は過去最大になっていまして、課徴金制度ができたからといって必ずしも不当表示が減っていないのではないかと思っています。3％という課徴金率は

若干課題なのかなと思っているところです。

　そのほか、景品表示法の執行実務上、これも少し細かい話で恐縮なのですが、違反行為の対象となる商品、役務を非常に細分化するという傾向がありまして、具体的には日本サプリメント事件というものがあるのですけれども、健康食品の90粒と180粒入っている商品について、消費者庁は別々に違反行為を認定して、180粒のほうだけ課徴金を課したという運用があります。これはなぜかというと、180粒のほうがいわゆる規模基準を満たして、売上額が5000万円を超えたので、課徴金を課すことができたということなのですが、90粒のほうについては規模基準を超えなかったので、課すことができなかったというものです。

　このように執行実務上、非常に商品を細分化する傾向があることから、課徴金制度の規模基準を超えられないというような案件が実務上、散見されるので、課題ではないかと思っているところです。

　最後に、松本（恒）先生の今回の資料の中で、消費者基金というものについて触れられていましたが、もともと景品表示法の課徴金制度の立案段階、パブリックコメント段階では、現状の返金制度ではなくて、国民生活センターに寄付金を交付することによって、寄付金相当額を課徴金から減額するというものを想定していました。

　この寄付金制度というものがもし実現していれば、消費者基金というものにかなり近いものができたのではないかと思っているのですが、前回の改正では、内閣法制局との関係で通りませんでした。しかし、この寄付金制度についてもし意見等があれば、いただきたいと思っています。

【司会（松本（恒））】　ありがとうございます。現在の課徴金制度が十分かというと、十分でないと思いますから、そろそろより実効性のあるものに見直していくべき時期だろうと思います。

　３％というのがどうなのかということで、先日１億円という課徴金納付命令が出ましたけれども、わずか３％で１億円になるということで、すごく儲かっているのですよね。おそらく３％というのは、一般の小売業者が普通に

商売をしていて利益が売上の３％というような数字ではないかと思うのです。景品表示法違反は確かに無過失でも違反は違反ということになるのでしょうけれども、多くの悪質なケースの場合は不当表示だとわかっていてやっているわけなので、そのような場合に、わずか３％の利益のために危ない橋を渡っているということはないと思いますから、行為の態様に応じてもう少し金額を変えるといった措置が必要ではないかと思います。

　次に、同じ商品なのに何十粒の商品であるかによって分けるという話は初めて聞いたのですけれど、より一般化していえば、私的独占の禁止及び公正取引の確保に関する法律（独禁法）を適用する場合の一定の市場は何かという議論のミニチュア版をしているという印象でして、改めたほうがよいのではないかと思います。

　最後に、当初の案にありました、国民生活センターに寄付をすればその分課徴金が減額されるというのは、いってみればアメリカでいわれているシープレ原則という、賠償金をしかるべく返せない場合には、それに近い用途に使うという考え方の日本版だと私は考えています。すなわち国民生活センターの業務経費に入れるのではなくて、当然基金をつくって消費者救済のために使うとか、そのようなものとして考えられていたのだろうと思いますから、個別に返金ができないようなケースについて、シープレ原則に基づいて国民生活センターに寄付をすれば減額されるというのは大変よいことだと思うのです。

　領収書がないにもかかわらず申し出てきた人に返金をすると、かつてどこかのスーパーマーケットであったような虚偽の返金請求事件というのも起こりかねないので、それをするぐらいであれば、消費者共通の公益のために使えるという形で返金をすれば課徴金を減額する、あるいは、もっと課徴金そのものをシープレ原則に基づいて使えるようにするというのがより好ましいと思います。

　次に、同じく弁護士の鈴木敦士先生から、私と町村先生に連名で質問がありますので、どうぞ。

【鈴木】　鈴木です。質問の機会をつくっていただきまして、ありがとうございました。私も消費者庁で集合訴訟の立案にかかわっていたので、この制度は使えないというご批判をたくさん浴びまして、心苦しく思います。

　私の質問は、松本先生の予稿に少し出てきたのですけれども、今の通常共同訴訟を効率的にする方法として、インターネット上でプラットフォームをつくって消費者を集めるというようなものが紹介されていましたけれども、基本的には現状では、プラットフォームがこれで利益を得ようとすれば、非弁護士がやれば弁護士法に違反しますし、弁護士がやった場合には、弁護士は、お客を紹介されたことによって弁護士に対して対価を払うとか、また、お客を紹介したことによって弁護士から対価をもらうとかというのは、基本的に弁護士倫理に反して品位を失うと考えられているので、基本的にはこのようなビジネスというのは成り立たないのではないかと思います。私は、今の規制は維持したほうがよいと思っています。先生は、そのようなことはいわずに、集合訴訟の制度は使えないのだから、通常共同訴訟を活性化させるためにこのようなプラットフォームを認めるべく法改正などをして育てていくべきというお考えでしょうか。

　また、中間搾取が起こるということと、プラットフォームが依頼者を集めるので、プラットフォームがどのようなやり方で訴訟をやるかを決めてしまうということで、訴訟活動についている弁護士と依頼者以外の者が、かなり影響力をもつことになって問題があるのではないかと思っているのですが、このあたりについて、松本先生はどのようなご見解なのかということをうかがえればと思います。訴訟のコスト論にかかわりますので、町村先生はインターネットにもお詳しいので、どのようなお考えなのかということをうかがえればと思います。

【司会（松本（恒））】　このような動きがあるということを私は知らなくて、つい1カ月ほど前に新聞社の方からインタビューされたときにこういうのがありますよと言われて、少し調べてみたわけなのです。案件をあっせんするという形はとらないということらしくて、弁護士法上、黒かというと、黒で

はない可能性のほうが大きい形を現在のところはとっているようですから、弁護士会としても特に動きがないのだろうと思います。しかも、経営者は弁護士でして、弁護士ドットコム関係者だということです。

では、どのようにしてビジネスとしてペイするように動かしていくのかという点については、事件のあっせん収入ではなくて、いわば一種のプラットフォームですから、そのプラットフォームに広告を載せることによって、広告料収入で動かしていくのだと社長本人は話しています。

ただ、具体的にどのような形でユーザーに広告が届くのか、そこはまだみえないですね。今のところまだ無償ベースで動いているようで、今後、実際にビジネスとして動き出してくるとどうなのかはわかりません。そのプラットフォームに、私はこのような被害に遭いました、仲間を求めますという記事を載せた場合に、その人あてにターゲティング広告的にある弁護士から、受任を勧誘するような広告が送られてくるとすれば、これは少し問題かなという気もしますので、そのあたりがどのような形になっていくのかを今後、興味深くみていきたいと思っています。

実際にそれで訴訟が始まったという話も聞いていないので、まだ動き始めたところかなという感じです。町村先生、いかがですか。

【町村】 弁護士法上の問題があるというのはご指摘のとおりなのですけれど、非弁行為を禁止すべき実質的な理由は事件屋的な存在を排除するということが根本にあるわけですから、そのような弊害がない形であのようなことをやるのであれば、それはむしろよいかもしれない、需要を喚起するためには必要かもしれないという思いが一方ではあります。

しかし他方で、では弁護士広告を解禁したらどうなったかというと、多くの弁護士はよくなったとは言わないわけですよね。消費者的には弁護士の情報にアクセスしやすくなったことは事実なので、一概に悪いとは言えないとは思います。しかし弁護士倫理という点では明らかに緩みました。

それから、昔はこれはだめだろうといわれていた仲介的なことを、いろいろなところが事実上やり始めています。これも弁護士の数が増えたというこ

とで、そのようなサービスに思い切って乗るという弁護士が増えたので実現
できるようになったという側面があって、それは確かに弁護士倫理的に危う
い橋だとは思いますが、しかし全く無下には扱えないのではないでしょうか。

　自動車保険のケースなども、弁護士保険などは昔はあり得ないだろうとい
われていたのが、今では自動車保険に弁護士特約が付けられていますよね。
それによって、みんなが弁護士を利用できるようになってよかったという面
ももちろんあって、損害保険会社が勝手に決めた基準で和解させられるとい
うことは少なくなったかもしれません。しかし弁護士にとっては報酬が安く
なるという問題もあって、一長一短なところはあります。

　ですから、プラットフォームとしてその場を設けるというだけで弁護士法
的な問題がなかったとしても、そのメリットとデメリットはやっぱりあるか
もしれないので、少し警戒的にみているところです。

【司会（松本（恒））】　ありがとうございました。続きまして、龍谷大学の中
田邦博先生から、やはり私と町村先生あてに意見・質問がありますので、ど
うぞ。

【中田】　龍谷大学の中田です。今日はとてもさまざまな観点からの報告を聞
かせていただいて、非常に勉強させていただきました。

　私の質問は、消費者被害を救済するうえで、裁判所がどのような役割を果
たしていかなければいけないのかという問題意識に基づくものです。今日の
報告を聞いていて、確かに民事規制、行政規制、刑事規制、自主規制という
ものが協働していくということは事実として進行しているし、現実的でかつ
響きがよいものですが、ただ、どこに重点を置くべきなのかという観点も必
要ではないかと思います。

　消費者被害救済の全体的なシステムというものを考えていくときに、今日
の報告のトーンには行政的な観点がかなり前面に出ていた印象を受けました。
個別的なところでは違う面もあったのですが、全体としてそのように感じま
した。ただ、市民というか、消費者の目線からそうした制度構築をしていく
ときには、何が必要なのかという視点が少し軽視されたような気もしました。

ディスカッション

　われわれが消費者被害救済のために考えてきたことは、消費者、そしてまた消費者団体が主体的に行動を起こせるという制度でした。消費者が自らの権利を守っていくということで、消費者契約法に基づく消費者団体の訴権の付与とか、集団的な金銭被害救済のための特例法をつくるとかが行われてきたといった、そういう背景があったのではないかと思います。

　それは市民および市民に近い立場の組織が市場の秩序を市民的な、消費者的な観点から監視し、それを守っていくということ、つまり自ら権利を擁護し、その実現をしていくということ、そういうものが社会のあり方として必要なのだということではなかったかと思うのです。そこでは、行政的な対応ではなくて市民がそれを担っていくのだという観点が重視されていたのではないかと思います。そのような観点で考えるのであれば、むしろ市民的な権利の実現のために現行法が機能しないというときには、裁判システムというもののあり方をもう一度考えておく必要があるのではないかと感じています。クロレラ判決には評価できる部分はあるのですが、裁判所がもう少ししっかりと踏み込んで判断してもよかったのではないかと考えています。

　今日、宗田先生のご報告の中で、妨害排除請求で違法な状態を除去し、原状回復させることができるのだという議論が出てきましたが、ドイツでは、そうした理論が判例法の中で展開してきたのです。それとは異なり、日本では、裁判官がそういった状況をしっかりみて、消費者法の目的に沿った判決をしていくことがなぜできないのだろうかと思うのです。総括とまではいいませんが、そうした日本の現在の状況についてどのように理解されているのかをお聞きしたいと思っています。

【司会（松本（恒））】　われわれの問題意識は、民事的な権利を消費者や消費者団体に与えることをやめましょうということにあるのではなくて、それはそれでよいのだけれど、それだけで十分なのかというところにあります。もちろんその「十分なのか」ということの中身には、民事訴訟手続がまだまだ原告に冷たいのではないか、裁判官の訴訟指揮なども冷たいのではないかという部分もありますが、裁判官が意識を変えればよいというだけにとどまら

ない部分がやはり制度に含まれているのではないかという観点から、この制度をより活性化するためには行政がもっとさまざまな形で関与してくることがあってもよいのではないかという趣旨であって、消費者に権利を与えるのをやめて、行政に全権を与えましょうというような意図は全くありません。

たとえば、第一段階の訴訟について行政が関与している国がいくつかあるわけですが、そういう国でも第二段階のほうには行政は実は関与していなくて、消費者がやりなさいという突き放しで動いているところが多いわけなので、そういう切り分けも一つの考え方としてはあり得るかもしれません。日本において第一段階で消費者団体が訴訟を起こせないケースが実はいっぱいあるわけです。これは裁判官が意識を変えれば起こせるというものではない、制度的な問題がいくつもあることが指摘されました。そこを何とかする必要があるのではないか。その何とかする仕方の一つとして、行政が事業者の隠匿財産等についての摘発をする等といった形でもう少し関与できてもよいのではないかということですから、先生の問題意識からいけば、民事の被害救済、市民の権利行使をサポートするために、行政がもっとやるべきことがあるのではないかということです。町村先生、いかがでしょうか。

【町村】　消費者保護基本法から消費者基本法に変わったという時代的な背景もありますし、司法制度改革の基本的な考え方も、事後的救済の社会をめざしたものでした。消費者法の世界でも随分と方向性が変わってきたところです。

ですから、その意味では、行政によろしくというのは逆コースだというのは私もよく理解しているところですし、私自身は民訴学者ですので、民事訴訟を通じた被害回復がむしろ本筋だろうと思っています。

そのうえで、現状をどう評価しましょうかというと、一つにはまだ使われていないしくみがいろいろあります。たとえば、適格消費者団体は証拠保全手続をこれまで2回使ったことがあります。61件提訴したものがまだ2回しか使われていないというべきかもしれません。そのほかに提訴前の証拠収集処分という制度もありまして、これは民事訴訟法の平成15年改正のときにで

きたのですが、これは全然使われていないのですね。証拠収集手段というの
は拡充する方向で立法者が動いたのですけれど、それが現場になかなか伝わ
っていない。一般の民事訴訟でもあまり使われていないので、消費者に限っ
たものではないのですけれども。

　そのように、やればできるのでもう少し頑張る余地は確かにあります。た
だ、そのうえで、コストの問題であるとか、証明責任の問題であるとか、情
報開示の問題であるとか、やはり制度的改革が必要だなというところは残さ
れている。そこは民事訴訟の機能を消費者法の中で実現していくうえで変え
ていくべきところだろうと思いましたし、先ほどの報告の中で少し端折って
しまいましたけれども、特に少額被害、先ほど籾岡先生の報告の中でAT
＆Tに1人4000円相当の被害回復ができましたという例がありましたけれ
ど、あれこそが少額多数被害ですよね。それを民事訴訟でできるようにする
ためには、通常訴訟が第二段階で出てくるような現行制度では全くだめなの
で、手続保障の面でももっと切り落としてしまうような、新たな制度設計が
必要です。

　いずれにしても被害回復は先生がおっしゃったように、特定適格消費者団
体のような実質的な民間団体でないと多分できないと思うのです。行政庁は
やってくれない。そういう自立的な団体の活動がもっと活性化できるような
制度設計をすべきだというのが私の基本的な理解ですので、先生の質問は渡
りに船だと思いました。

【司会（松本（恒））】　ありがとうございました。残り半分が菅先生あての質
問でして、やはりイギリスのあの多様な方法について皆さん、いろいろ関心
をもたれたのだと思います。まず消費者庁の福島成洋さんからお願いします。
【福島】　福島と申します。消費者庁で働いていますが、今日は個人として質
問させていただければと思います。

　今日配布されましたレジュメで申し上げますと、通し番号5頁のところか
ら先生のレジュメが始まるのですが、そこの1頁目の「はじめに」の1の③
に、脆弱な消費者についての紹介があります。この中で、脆弱な消費者に対

する認識の変化というところで、イギリス法や欧州連合（EU）の消費者法において変化がみられる、すなわち、脆弱な消費者から脆弱な状況にある消費者へという転換があるのだという指摘があるわけですけれども、このような転換がどうして起きたのかというところを質問させていただきました。

　背景として、特に日本の消費者契約法をみていますと、近年の改正は、一つの見方ではありますけれども、一般的、平均的な消費者から脆弱な消費者へという流れが一つあるのではないか、そういう見方もできるのではないかと思っています。そうすると、EUやイギリス法が脆弱な消費者から脆弱な状況にある消費者へという形で展開していることは、見方によっては日本の消費者契約法のさらに先を行っているようにも思えるところで、関心をもった次第です。どうぞよろしくお願いします。

【菅】　ご質問ありがとうございます。今、おっしゃっていただきましたとおり、確かにそのとおりでして、つまり、平均的な消費者をベースとした消費者法のあり方を考えるというところからまず始まり、そのときに脆弱な消費者というのは、その基準では保護が不十分ではないかというような視点が起こり、そしてそのさらに先に、よく考えてみれば、脆弱な消費者とはそれほど特別な人なのか、皆、脆弱な部分ももっているわけですし、その部分にむしろ基準をあてるべきではないかということで、そのような動きになっています。

　ですから、このあたりであれば平均的な消費者、でもそこから漏れる人をどうするかという話だったのですけれど、全部をもっと、基準をもう1段階上げてしまえばすべての脆弱性に対して対応できるということで、それまでの平均的な消費者あてと脆弱な消費者あての二重の基準だったものを、全部一重に高いところで唯一の一本の基準に変えようというのが、イギリス法から発したEUの最近の動きになっています。

　具体的には、2005年の不公正な取引慣行に対するEU指令というものがありますが、2016年のガイダンスで、そこでいう脆弱な消費者とか脆弱性のグループの平均をとるといったような、あくまで平均的な消費者モデルの中で

脆弱性を処理するというかつてのやり方は間違っているとされたのが2016年の５月でして、その背景に何があったのかというと、2007年に国際連合の障害者権利条約というものが発効していまして、EUもその批准をしています。ちなみにわが国も批准をしています。その関係で、障害があろうとなかろうと市場生活ができる、特に契約ができる、行為能力を制限しないという、その条約に加盟をして批准をしていますので、その一環としても、こうした概念の変化がみられるということになります。

【司会（松本（恒））】 続きまして、弁護士の安枝伸雄先生から、同じく菅先生に対する質問です。

【安枝】 京都弁護士会の弁護士の安枝です。先ほどお話があった脆弱な状況にある消費者というところは、私は今やっている事件の関係でもすごくヒントをいただけて、今日参加して本当によかったなと思っています。ありがとうございます。

　質問なのですけれども、レジュメの通し番号でいうと６頁、先生のレジュメでいうと２枚目の上から５行目、６行目のあたりに下線が引いてあって、民事救済規定の刑事法への組込みということを紹介していただいています。私の質問は、その組込みの紹介に関し、イギリスではこのような規定を使うほかに、個別具体的なケースで、刑事法の要件というのを満たしていなくて、たとえば契約の撤回などができないのだけれども、いわゆる日本でいう公序良俗違反のような、一般条項での無効処理がされることがあるのかということを少し聞きたいと思っています。

　その趣旨というのは、仮にそのように一般条項的な処理がされるということになった場合、イギリスの裁判に、たとえば行政の入手した資料だとか、あるいは応答過程の資料などが出てきている可能性があるのかと思いまして、現場で裁判をしている身としては、そのようなものがどのような形で訴訟に表れるのかということに関心があるので、質問させていただきました。

　そこに関連して、簡単に意見として申し上げておきますと、私はどちらかというと証券などの事件をよくやるのですけれども、その経験上、なかなか

民事訴訟で難しいところがあるということは感じていまして、いくつかあるのですが、たとえば民事訴訟に行政処分の存否そのものだとか、あるいは内容というのが必ずしも出てこないという点です。行政のほうに文書を開示してくれるよう話をしても存否応答を拒否されるとか、あるいは黒塗りで不開示決定で出てくるとか、そのようなことで、行政処分の内容を具体的には消費者が手に入れられないようなところがあります。

　それから、業法違反とか自主規制違反という点に関しては、先ほども河上先生からお話があったように、適合性原則のところで平成17年判決の話もあって、最近出ている最高裁判所のデリバティブに関する書籍の内容からしても、業法でも基本的に消費者保護とかに向けられているものであったら、民事効があると考えてもよいのかなと思っています。それで民事不法行為が自主規制違反だったら必ずしも成立しないというわけでもないと思うのですけれど、このあたりは私が記録とかいろいろとほかの事件とかをみていると、ここのところをしっかり主張できていなくて、民事不法行為につながっていないといえなくはないようなケースも散見されます。

　そのほかに、事実認定の基礎となる証拠資料というものが、やはり消費者側は入手するのが困難という事情があります。私は自分が担当している投資事件は全件証拠保全していますし、先ほど町村先生からお話があった、提訴前の証拠収集処分とかも使ってはいるのですけれど、それでも限界がありますし、投資被害の場合、コスト的にはまだそれでもペイするのですけれど、通常の消費者被害だとおそらくそのようなことはできないかなと思っています。

　そういう民事的なところの事情があるので、何らかの形でイギリスの知見が、日本の民事訴訟をうまくやっていくために利用できないかということで、質問させていただいた次第です。

【菅】　ご質問どうもありがとうございます。最初にご質問いただいた出発点のところに関しましては、私のレジュメの通し番号９頁のところに参考として文献をあげさせていただいています。レジュメの上から１、２とそして４

番目がすべてご質問いただいた件に関することでして、イギリス版の公序良俗論に関する研究をそちらでしています。

つまり結論から申し上げますと、イギリスのいわゆるわが国の暴利行為論に相当するものは1800年代からかなり判例がありまして、そちらのほうが先行しています。ただ、全体を通していえることですが、やはりイギリスの民事裁判所というのは非常に敷居が高いところで、訴訟費用も弁護士費用も莫大にかかるところですので、こういった本来の民事法上、契約法上のルートを使える方というのは相当な方ということになります。いわゆる日本の地方裁判所にあたるような高等法院レベルでの訴訟では、本当に極めてまれな大きな事件、すべての銀行業界を訴えるとかすべての保険業界を訴えるぐらいの大きなものでないとあがってきません。

そういったこともあるのと、あともう一つは、イギリスの全体的な方向性として、なるべく裁判所に行くルートをADR化といいますか、オンブズマン化といいますか、あるいはインフォーマルな形で解決をしてもらいたいというので、はっきり言ってしまうと裁判所にくるのを最後にしてもらいたいというのがあります。そのようなこともあって、このレジュメ、先ほどご指摘いただきましたけれども、通し番号6頁の契約撤回権、代金減額請求権、損害賠償請求権というのは、正直なところ本来の、従来の契約法学者からみると極めて異質なものになっていて、必ずしも皆さん理論的に賛成する方はいらっしゃらないのですけれども、極めて実効性が高いということで入れたという事情があります。

そしてまた、先ほどおっしゃっていただいた、民事上の不法行為であるとか、あるいは証拠の問題はどうですかというご質問についても、結局今申し上げたように、なるべく裁判の本来の立証責任のルートのほうに行かせないように、もう少しインフォーマルな形で早めに、早めに、前段階で解決させるという方向に国をあげてといいますか、メカニズム的に動き始めていますので、たとえば行政的な執行にしても、先生の専門である金融業界に関しては、最近では、私のレジュメでは通し番号8頁の一番下のところに出てくる

金融サービス機構、今はFCA、金融行為機構に名前を変えておりますけれども、こういった行政的なところが入っていまして、そのときにはやはり通常の司法のルートとは違いますので、立証責任をうまく回避できるといいますか、事業者側に転嫁させるような交渉の仕方をしているようにみえます。

　かなりそこは意識的にやっていて、つまり、こういうクレームがくるので身の潔白をあなたのほうでしたほうがよいですよという助言を行うわけです。そうすると事業者のほうは、それは不当な言い掛かりであるということを一生懸命証拠を出して主張してきますので、それがうまくいっていればそれでよいわけで、うまくいかなければさらに踏み込むということで、実効的な立証責任の転換を裁判ルートとは違うところで図っているのかな思います。

　それでよろしいでしょうか。何か漏らしたところがあるかもしれません。ありがとうございます。

【司会（松本（恒））】　続きまして、龍谷大学の中田先生からお願いします。

【中田】　龍谷大学の中田です。先ほど松本（恒）先生のお答えにコメントする機会がなかったので、一言だけ申し上げます。私としては、裁判官の意識を問題にしているのではなくて、その役割を問題にしていて、裁判官が消費者法の目的に沿った判決ができるような道具立てをしっかりと考えるべきではないかと、そういった観点からの指摘だったことを申し上げておきたいと思います。

　次の質問は、そうした問題と関係しているのですが、私自身は、菅先生のお話の中で出てきたように、まさに脆弱な消費者という概念において、脆弱性の意味というものが問い直されているのだろうと考えています。これは、未成年あるいは高齢者というような人的な性質、属性というものを表す言葉ではないように思います。ですから、個人的には、「脆弱」という日本語の訳をあてるのは、あまり好きではないのです。

　そうだとすると、先生が言われたのは、個別の状況においてその消費者を保護する必要性があるかどうかという、その正当化ができるかどうかという観点からルールのあり方を見直しておかなければいけないというご指摘だっ

たのではないかと思います。その点は、たとえばドイツの学説においてもそういった観点は示されることがありますし、一般的な消費者、平均的な消費者が問題とされるのではなくて、その取引に置かれた消費者の層というか、そういう特定の集団に対する保護が必要なのだという観点は、先ほど言われた不公正取引方法指令の中にも示されているところだと思います。

むしろ、そういった考え方は非常に魅力的なものであると感じているのですが、他方で、日本の状況というのは、公序良俗規範とかそういった一般条項がなかなかうまく裁判で使われていない部分もあるのではないかと理解しています。そうだとすると、先生のような考え方、すなわち個別的な状況における「脆弱性」という方向性を活かしていくためには、それをやはり裁判官に判断してもらうことになるのかなと思います。そうすると、その法規定の内容をどのような形でつくり上げるのがよいのかといった点について、あるいはもしそれについて先生がアイデアをもっておられるようでしたら、ぜひお教えいただきたいというのが私の質問です。

【菅】 ご質問ありがとうございます。なかなかお答えが難しいのですけれども。といいますのは、私の基本的な視点は、市場がもう少し正常に機能すれば、脆弱性をもった人は誰であるとか、未成年の場合は少し特殊だとは思いますけれども、そこの議論をなくすことができるのではないかと考えているところがあります。ですので、脆弱性の判断をどのようにするのかということは質問としてはわかるのですが、私の視点からすると、なかなか答えにくいというのがあります。

つまり、脆弱な人を見つけて保護するというのではなくて、消費者というのはもともと脆弱性をいろいろな場面においてもちやすい面、たとえば金融商品の分野ではこういう脆弱性をもつし、あるいは長い長い契約書の中では文字が見えにくいということでこういった脆弱性があるし、あるいは医薬品についてはこういう脆弱性があるしということで、「リスク要因アプローチ」ということで、レジュメの通し番号の５頁に書かせていただいています。今の市場のあり方を上手に変えられるところまで変えて、それでももちろん全

63

部の問題が解決すると思っていませんけれども、その部分を触らずして、特に脆弱な人を市民の中から選び出すという作業があまり建設的には私にはみえないもので、こういった視点、まずは市場のほうがどれだけすべての、あらゆる多様性、脆弱性ではなくて多様性に対応できるかをできるところまでやったうえで、それでも足りない部分は個別の保護も必要であろうというように、発想の転換をしたいというのが私の基本的な考えになります。

　それが今の国際標準化機構（ISO）の、最初に申し上げましたけれども、プロジェクト311というもので、あらゆる分野における脆弱性を解消して、市場の中でとにかく脆弱性の問題をいわなくても、口にしなくてもすむように、そして脆弱な消費者をつまみ上げるというような作業をしなくてもすむように市場を改革していこうという動きかなと思います。

　ちなみに、イギリスの先ほど19世紀の判例の話を少し別の文脈でさせていただきましたけれども、かつてはイギリスにおいても、19世紀には、この消費者を救いたいというとわざわざ、当時の言葉ですが、イグノラントという言葉を使って、脆弱をもっと露骨な、非常に今の英語では考えられないようなきつい言葉を使って、わざとそのカテゴリーに落とし込んで保護をするということをやっていました。

　そういったことの反省もおそらく踏まえてのことだと思うのですけれども、発想を全く転換させて、市場が変われば、脆弱性をもった人は誰か、というのをそこまで議論しなくてもよい社会がくるはずだし、それでも処理しきれない問題をまた別途考えようという、とりあえずそのような感じの、まだ結論がみえていない中間的なところかなと思っております。

【司会（松本（恒））】　ありがとうございました。続きまして、弁護士の鈴木敦士先生、お願いします。

【鈴木】　弁護士の鈴木です。予稿の『現代消費者法』40号だと16頁のところから、強化された消費者スキームというのが紹介されていて、それに関するご質問をしたいと思っています。この強化された消費者スキーム（ECMs）の中では「Which?」という消費者団体も主体となるということが紹介され

ていて、それでアンダーテーキングを試みてもできない場合には、損害賠償とか契約の解除とかを求めて裁判所に申立てをする、執行命令を受ける、その他いろいろなコンプライアンス体制の充実なども要求できるとされています。一方で予稿17頁には、原則的には競争法分野を除いて集合訴訟がないという紹介がなされています。この関係がよくわかりません。

　先ほどみたように、強化された消費者スキームで裁判所に損害賠償や契約の解除などいろいろ求められるのであれば、実際的には集合訴訟をやっているのと変わらないようにも思われるのですけれども、民事上の請求とここでいっているところの損害賠償や契約解除が違うのか、同じなのかとか、そのあたりを教えていただければと思います。

【菅】　ありがとうございます。私の解釈ということになりますが、おそらく今、鈴木先生がおっしゃったように、実質上、似た機能をもたせるような意図があって、このECMsというものが2015年10月に入ったのだろうと思います。つまり、先ほど申し上げましたように、なかなか一般の民事上の救済を求めるという個別救済のルートの利用が難しい、そして集団訴訟というものに対する何となく抵抗心のようなものがイギリスの文化に、特に裁判所の間にあり、クラスアクションは嫌いだといったような感情的な反対もありますので、そちらも難しいということで、なるべく似せたものを、というので入ってきたのではないかと推測します。

　ただ、やはり違うのは、先ほども申し上げたような、立証責任の問題でどちらのルートを使うかというのはかなり大きな違いが出てくると思いますし、その点は違いをまた認めなければいけないのではないかと思っています。

　このECMsは、確かに私的執行者ということでWhich?も入っているのですが、まだ使われたということを聞いておりません。Which?のほうもどのくらいこれを使おうとしているのかまだわからないところがあります。先ほど申し上げましたが、引受けが一番メインのルートになっていますので、できる限り引受けでいきます。引受けに応じないような事業者は、このECMsを使っても少し難しいのではないかと思いますので、そうすると一

段超えた差止めのほうに動いてしまったほうが救済の実効性が迅速にいくのではないかということで、ECMsをうまく使ったという例をまだ私は聞いております。実態といいますか、実践例を申し上げることができないのですが、そのような中途半端なお答えで申しわけありません。

【司会（松本（恒））】　続きまして、立命館大学の松本克美先生から、菅先生への質問です。

【松本（克）】　立命館大学の松本と申します。今日の菅先生のご報告は、刑事、行政、民事、自主規制の組合せによる消費者被害の抑止と救済ということで、イギリスの事例を非常に詳細に、法制とか実態的な運用などを現地の写真入りで紹介していただきまして、大変勉強になりました。

　質問は、ご報告の最後で、今日のレジュメでいうと通し番号9頁の6で、イギリスの例を紹介していただいた後に、では日本の社会にとってどうなのかということで問題提起をされたわけですが、その点についての質問です。この「日本社会に必要なものとは？」というところで、最初に「消費者被害」から「消費者犯罪」へという何かスローガン的なことが書かれていますが、その意味はどういうことなのかというのが質問です。少し聞き逃してしまったのかもしれませんが、ここでいっている消費者被害から消費者犯罪へというそういう問題提起は、日本でもイギリス法のようにもっと刑事的な規制をいろいろ多用すべきであるというような意味なのかというのが一つです。

　そのことと関係して、先ほどから脆弱性の問題が出ていますけれど、レジュメの通し番号5頁の1の③ですね。さっきも出ていましたけれど、そこで「脆弱な消費者」から「脆弱な状況にある消費者」へということも書いてあるわけですが、このことが最後の「消費者被害」から「消費者犯罪」へという問題提起と関係しているようにもみえるのですが、そのあたりの含意を説明していただければというのが私の質問です。よろしくお願いします。

【菅】　ありがとうございます。確かに少しスローガン的な書き方で、しかもきちんとした説明も申し上げずに、申しわけありませんでした。実は確かにいろいろと考えるところがありまして、付けさせていただいたのですが、一

番の含意は、現地で取引基準局と3年ぐらいにわたって、ずっと継続的に調査をしていたのですが、いろいろなところで被害の現場に行きますと、ほとんどの対象がいわゆる日本で考える脆弱な消費者というイメージにぴったりの方ばかりなのです。けれども、現場ではそのことを、脆弱性があるからというところを特に強調することもなく、普通に消費者の選択がゆがめられた不公正な事案であると処理をしていました。かえってそれが私にとっては新鮮にもみえて、一つの基準で不公正な取引や不公正な契約条項を規制していくというやり方で、非常に完結した、そして、すっきりしたやり方だなと感じました。

　そのときに、どうしてこのように事業者もおとなしくいうことを聞くし、なぜこのようにうまくいくのだろうかというところに素朴な疑問を感じて尋ねたときに、「消費者犯罪」という言葉をあえて戦略的にいい始めた時期があるという答えをもらったことがあります。つまり、それまでは警察というのは全く民事不介入であるということで、消費者問題は民事の問題だから、全く警察に関係ないといった風土がずっと流れていて、公法、私法をしっかり分け、刑事法、民事法をしっかり分けるといった文化が強かったということなのですが、消費者犯罪という言葉を使うようになった時点で、その認識が徐々に変わっていったと聞きました。

　そのようなこともあって、もう一つのお答えは今おっしゃった脆弱性の話にかかわってくるのですが、どうしても消費者被害という言葉を使うと、被害に遭ってしまった方のほうにばかり焦点がいってしまうような語感があるのではないかなということもあります。それも現地で聞いたところでは、消費者を騙したほうに焦点をあてるべきということもここに含意されているとのことでした。

　特に現地で被害現場に行くと、私たちは被害を受けた人の聴取に行くと言って出かけるのですが、決して現場ではその言葉が使えません。というのは、皆さん自分が被害者だとは認めないので、そのような被害者聴取には応じてくれないのです。ですので、ほかに被害を受けた方がいるので、あなたの証

言がその方の役に立つので聞いてもよいですかと、裁判あるいは公共の利益のために協力をしてくれますかという言い方でないと、いわゆる被害の調書がとれないというようなこともあります。そのことからも、被害者救済あるいは被害というよりは、悪質な行為をしたほうに焦点をあてる「犯罪」という言葉に切り替えたイギリスの変化は、何か日本においても使えるものがあるのではないかということで入れさせていただきました。

【司会（松本（恒））】 続きまして、弁護士の黒木理恵先生からですが、山本隆司先生、池本先生とに連名で質問なのですけれど、菅先生だけに回答は限らせていただきますので、よろしくお願いします。

【黒木（理）】 本日は、前に並んでいただいた先生方に各国のいろいろな制度をご紹介いただきまして、ありがとうございます。コメンテーターの河上先生からうらやましいという話もありましたが、いろいろ夢が広がるいろいろなアイデアとか知恵とかをご紹介いただけた、勉強させていただけたと思っています。

　いろいろとお話をうかがっていて、ちょっと１点教えていただきたいと思ったのは、日本は経済協力開発機構（OECD）加盟国の中でも、雇用者全体に占める公務員の比率が突出して低いのではないかと思います。手元に正確なデータがないのですが、インターネットでざっと引用されていたものを見ると、OECDの平均が18.1％なのに対して日本は5.9％と、数年前のデータですが、このようになっています。ちなみに、お話に出ていましたイギリスは16.4％ということで、決してイギリスが突出して高いわけではなく、平均より若干下ということですが、日本と比べればかなり公務員の比率が多いということになろうかと思います。

　そういう現状を踏まえてということなのですけれども、このような消費者被害の救済、あるいは抑止という目的を達成するために、公務員の役割を拡大するような方向性というものと、あるいは適格消費者団体、場合によっては事業者団体等も含むかと思いますけれども、そういう民間のセクターに公的な役割をもっと果たしてもらえるようなしくみ、あるいは予算とかも含め

て制度、そういうものを拡大していく方向性、いずれがより日本において実効性、あるいは実現可能性が高いかということについて教えていただければと思います。できれば、行政法の山本（隆）先生には一言、考えをうかがえればと思っています。

【菅】　では、私から先に答えさせていただきます。具体的に日本で何ができるということを申し上げられるほど勉強ができていないのですけれども、少しイメージ的なことになるかもしれませんが、今おっしゃったイギリスにおいても、消費者法の分野で活躍している方々というのは、公務員の身分があるかないかといわれると、どちらだろうというか、どなたもそれほど気にしていないのではないかと思います。つまり、公的な問題に取り組んでいる人という意味であって、身分として公務員であるかということは、イギリスの場合にはあまりこだわっていないと思います。政府のために働いている、いわゆる官僚と呼ばれる方かどうかというところは職種として気にはなっているみたいですけれど、同じ仕事をするときに公務員なのか民間人なのかというところの違いに意識を向ける方を、イギリスではあまり聞いたことがないという印象があります。

　では、なぜ逆にうまくいくのかといいますと、私が考えますのは、先ほど立命館大学の松本（克）先生からのご質問に答えそびれてしまったことを今思い出して、非常に関連すると思いましたので、申し上げさせていただきたいのですが、つまり刑事的な規制というものは、それを使うべきであるというのではなくて、そういったものが本当に使われることがあるのだということで、非常な威嚇療法といいますか、威嚇効果があると思います。

　それをイギリスでは「にこやかな大きな銃」という言い方をしまして、にっこり笑いながら、あなたはわざとやったわけではないよね、すぐ改善するよねと言いながら、褒めているように見せながら、実は大きな銃を後ろで構えているというやり方をして規制は行うべきだというものを読んだことがありますが、結局にこやかに、民間の方であろうと、公務員の方であろうと、あるいは慈善団体の職員、臨時の職員であろうと、どのような立場の方であ

ろうとも、消費者問題という公的な問題に対して真摯に取り組む、そして不正を許さないというところでは、まずそこに違いはないと思います。

でも、そこで相手の立場の違いというものをむしろ軽視のシグナルにとらえてしまって、向こうにあまり権力がないならば無視しようというような人々に対しては、大きな銃が控えているという形で、権力、権威、権限といろいろと似たような、しかし異なる言葉があると思いますけれども、立場のうんぬんよりは、権威があったり、あるいは背後にいざとなったときの大きな規制の手段が控えていれば、必ずしも公務員を増やすことを検討しなくても、執行のうまくいく消費者保護体制はわが国においてもできるのではないかと思っています。

ですので、たとえば消費生活センターの職員の助言のサービスに、もう少し重みをもたせられるようなメカニズムを考えてみるとか、公益社団法人日本広告審査機構がありますけれども、そこでの助言や指導というものにもっと重みをもたせられるようなメカニズムに変えていくとか、一足飛びに刑事制裁を設けるという話ではなくて、メカニズム全体で権威をいろいろなところに与えていくようなものが考えられるのではないかと思っています。

【司会（松本（恒））】 それではご指名ですので、山本（隆）先生、一言お願いいたします。

【山本（隆）】 公務員数が日本は非常に少ないというのはそのとおりであり、したがって、民間の団体等を公的な行政にかかわる事務のために活用するというと、行政の側からの言い方になってしまいますけれども、民間の力を有効に使うことは、消費者法の分野に限らず一般的に行われていることです。

ただ、今日時間があまりなかったので、そこまで申し上げなかったのですけれども、一方で適格消費者団体、あるいは特定適格消費者団体の認定の要件は、先ほども話がありましたように非常に厳しく、普通の行政事務を民間の団体に委ねる場合の条件にほぼ近いものが課されています。たとえば守秘義務が課され、それに罰則が付くというのは、かなり厳しいと思います。

それはそれで、公務員数が少ない日本の一つのやり方なのですけれども、

問題は、それに応じるだけの権限と、情報の取得の手段と、それから資金が、適格消費者団体あるいは特定適格消費者団体に与えられていないのではないかという、アンバランスにあろうと思います。

　したがいまして、まずそこのところを拡充していくのが、日本の現在の状況における一番現実的なやり方ではないかと思いまして、その意味でいうと、黒木さんの先ほどのご意見と私も同じようなことを考えています。

【司会（松本（恒））】　ありがとうございました。それでは、菅先生に対する最後の質問になりますが、法政大学の大澤彩先生から、菅先生と宗田先生の二人に対する質問です。

【大澤】　法政大学の大澤です。本日は大変詳しいご報告をありがとうございました。私自身も行政的手法に関しては大変関心をもっています。未来へ向けた、端的な質問をさせていただきたいと思っています。

　本日ご説明いただいた行政的手法につきまして、被害回復のためあるいは制裁のためと、いろいろな面があるので、一括して申し上げることが適切かどうかはわかりませんが、その行政的手法につきまして、たとえば日本でいうと、消費者契約法のように、消費者契約一般に適用され、かつ不当条項規制とか、あるいは誤認、困惑といった、意思表示の取消しを認めるような民事実体的な判断を必要とする法律においても、このような行政的手法が導入可能であるとお考えでしょうかという、雑ぱくな質問で申しわけありません。

　たとえばフランスでは、4年前の改正において、不当条項リストのいわゆるブラックリスト違反に対する行政罰が導入されました。この理由は、フランスの消費者法というのは刑事罰が中心だったのですが、刑事罰がなかなか実行されないということがあって、より簡易な手続による行政機関による制裁の一つとして導入されたものです。しかし、その行政罰に関しましては結局裁判所を通すこともなく、行政機関が不当条項の条項の不当性を判断する、そういう実体的判断に踏み込むことにもなります。そして、それに対して、行政罰を科すということについての批判もみられるところです。

　本日のご報告からはさらに進んだ未来の話になるかと思いますが、消費者

契約法のような消費者契約一般に適用され、かつ民事実体的な判断を必要とする法律において、行政的な手法を導入することについてどう思われるかという質問です。よろしくお願いします。

【菅】　ありがとうございます。ご質問いただいた件に関して、実は報告の中で触れてはおります。CMAという行政機関による実践例を紹介しましたが、不公正条項であるとか、誤認や困惑型の契約締結に関しては、その不当性の最終的な、要は違法な行為をしたという最終的な判断は裁判所に任せるのですけれども、その前段階として、こういったクレームがきているし、CMAとしても違法の可能性があるのではないかと考えるということを事業者に伝えています。しかも、その前には、CMAによる独自の、かなり長期にわたる綿密な調査を実施したうえで事業者と交渉にあたりますので、事業者としては、裁判所に行くより前にCMAでかなりの証拠をつかまれているということもありますので、比較的素直に自主的な返金に応じるといったようなことが、イギリスの場合には行われています。

　ですので、行政制裁金というのは、先ほども申し上げたようにFCAでしか使われておらず、金融分野に限られたことになっていますので、今の段階では、一般的な不公正な取引行為とか不公正な契約条項に関する消費者問題については、CMAによる自主的な返還機能であるとか是正の「指導」という段階で終わっていますけれども、介護施設のところで申し上げたように前払金がいつの間にか業界から消えるような効果を得られたとか、あるいは、現在は劇場の再販売のチケットをめぐって、新たな是正の動きが業界に起こりつつあるとか、裁判所に行かない前段階でそうした綿密な調査に基づいた行政的介入をすることによって、実効的な救済がより早く担保されるといったような、そういった実践例がいくつもあると認識しています。

　また、行政制裁金をCMA自体にもたせたらよいのではないかといったような動きも実は起こっていまして、今、議論を見守っている状況ですので、また今後の課題にさせていただきたいと思います。

【司会（松本（恒））】　宗田先生、お願いします。

ディスカッション

【宗田】 よい質問をありがとうございました。この点は時間の関係で、私は本当は一番最後のところで将来の課題として初めは書いていたのですけれど、最終段階で削除したのですね。ちょうどよかったです。この質問があって本当によかった。ありがとうございます。

　初めにドイツのことを話させていただきたいと思います。フランスでもそのような展開があったというのは非常に勉強になりまして、ドイツでも似たような展開が最近みられるのです。具体的にどういうものかというと、民法に違反する不当条項は、それを含む契約が市場支配力または当該条項を使用する者の優越した力の発露である場合には、競争制限禁止法（GWB）上の市場支配的地位の濫用行為であるのだと最高裁判所がいっています。

　ということは、不当条項規制について、違反排除、返金の可能性ももちろん出てくると思いますし、行政上の制裁金、これも課されうるのだということと、そのような2017年の最高裁判決が出てきたところです。

　したがいまして、私は実は、わが国が立法すべきことというリポートをまとめていまして、そこで述べていますのは、近々公表しますが、不当条項というものは古くから、これはもちろん河上先生の本で勉強させていただいていますが、民事規制、これでやるのだということでやっています。もちろんそうですね。私的自治の支配する範疇でやっているものです。

　これはもっともでございますし、私も今ドイツ留学中ですが、河上先生の本を携えて勉強しているわけですが、今日においては、すでに事業者と消費者からなる市場というものの機能不全というものを生じさせている行為としてとらえられうるものなのだろう、われわれ法学者としては、われわれを取り巻くさまざまな取引を行っている市場というものの機能というものを、不全たらしめているというのが不当条項なのだろうと把握できる段階に至っているのだろう。それは後で河上先生の先ほどの質問にお答えするということにも重なりますが、不当条項行為という、その行為はどのような性質をもったものなのかというところに着目したいと思っています。

　それは、すべからく１対１の八百屋で買い物をしたという話ではないので

73

すね。何万人規模のレベルで同じ定型的な契約が結ばれるという場面を問題としているということ、そしてまた、今日においては情報化がどんどん進んで、どんどんデータ化されていって、より同様の契約がより簡単に、より多数の者の間で結ばれうるという状況が、いわゆるドイツ語でいうデジタリジールングという、デジタル化された社会においてはそれが普通になってきているという状況があります。

そのようなことを踏まえたうえで、この不当条項行為というものの特質、性質というものをわれわれ法学者はとらえ直す必要があるのではないかと考えています。

そのようなことから、従来は消費者契約法というものは民法の弟分だということで立法された、これは確かに必要な措置でした。しかし今後は、消費者契約法が規制している不当条項についても、行政介入というものも是認されうるのではないかとまで私は考えています。

その先に、では行政上の制裁金、課徴金は課せるのかという議論はまた次の段階としてあるわけですよね。そこまで今日発表すると、次の次の次の話にはなりますから、私は躊躇したのですが、とてもよい質問をありがとうございました。

【司会（松本（恒））】　ありがとうございました。菅先生に対する質問はこれでおしまいで、あと残り8人のフロアの方からご発言いただくことになりますので、時間配分をよろしくお願いします。町村先生に対して、3人の方からご質問があります。まず、弁護士の島川勝先生からお願いします。

【島川】　ご報告をいろいろありがとうございました。私は特定非営利活動法人消費者支援機構関西（KC's）という関西の消費者団体にて被害回復を担当しています。東京の特定非営利活動法人消費者機構日本（COJ）に1年ぐらい遅れて認定されたわけですけれども、それから1年間かけて、さまざまな事例を検討してきました。この制度の一番の問題は、多数少額被害、これが舞台に上ってこないことです。

というのは、何が一番大きなネックかといいますと、町村先生も報告され

たように、通知公告の費用とかいろいろな費用がものすごくかかるという点です。もしこれをまともにやれば、団体は財政的に破綻します。そのようなことまで踏まえて行うのかということになると、いや、そこまでは行えないだろうということで控えているというか、昨年1年かけて三十数件検討しましたが、かなりの部分でその問題があります。

　そうすると、この制度として欠陥があるのではないかと思うのです。だから、費用負担は被告に負わせるというような立法改正ができないものかどうか。これは立法の問題になりますけれども、この制度についての3年見直しというのがあります。この制度ができる前に私たちはフランスへ行って、フランスのグループ訴訟を調査しましたが、当然費用は被告負担でしょう、そのようなことは当たり前だと言われて、そのとおりだと私は思っていたのですけれど、結局それが訴訟提起の最大のネックになっているということです。この点が何とか少し改善されれば、被告負担にするとか、あるいは公的資金が出るとか、あるいは資金援助があるとか、そういう形ができれば、そこは改善するのではないかと思います。

　それから、訴訟提起がないという、先ほどから2年経つけれど訴訟提起が全然ないという、いろいろな非難みたいな言葉がありましたけれども、その原因の一つには今述べた費用の点があります。

　そのため、今私たちがやっているのは、ゼロ段階での取組みです。一段階、二段階ではなくて、ゼロ段階での被害回復請求です。これは先ほど松本（恒）先生も報告されましたけれども、痩せる薬・イソフラボンと表示して商品を販売していたということで、15社に対して返金請求をしました。公表しているのは、先ほど報告されたのは8000名ですけれども、現在では1万5000名の消費者に対して返金がされたという報告を受けています。

　そのような意味では、このゼロ段階でも大いに利用できる価値があります。後ろに裁判を控えているということがありますけれども、そのゼロ段階でのいろいろな活動をやって被害回復がされたという場合に、特定適格消費者団体は財政的には全然潤わないので、やればやるほどマイナスが膨らんでいく

という、そういう自己矛盾に陥っているわけです。

　そのようなことを避けるというか、できたらゼロ段階でも報酬をいただくか、あるいは公的受け皿に寄付してもらうか、民事の制裁金のようなものですかね。そのような制度をつくれる余地はないのかというのが私の質問です。

【町村】　ありがとうございます。第1の問題は、もちろん私の報告の中でも申し上げたと思うのですけれども、立法として島川先生がおっしゃったように、フランスでは第一段階の訴訟に要した費用ですら事業者側に転換をするということを、その第一段階の判決の中で命じることができるという、このあたりは予稿の25頁のあたりに、被害コストの転換ということで書かせていただきました。

　さて日本で、それは立法論として通用するのかというと、消費者の財産的被害の集団的な回復のための民事の裁判手続の特例に関する法律（消費者裁判手続特例法）の立法ではそれがまさに通用しなかったわけですけれども、そのときにも何かの機会には申し上げたと思いますが、不必要な行為とか遅延行為を訴訟でやった場合の訴訟費用の転換ということも民事訴訟法には62条、63条のあたりにあります。それから、実体法的な観点でのバランスでも、被害回復のコストは、本来は事業者がリコールという形で自ら負担するべきもののはずなわけです。それを事務管理ともいうべき形で消費者団体がアクションを起こすわけですから、事業者が一種の必要費として支払うという形で制度化されるのが筋だと思うわけです。

　仮にそれが集団訴訟となると消費者団体のほうが負担しなければならないということになれば、やはり事業者としては、被害回復に消極的になるようなモチベーションすら生まれてしまうわけです。

　もっと進んで第二段階まで行って、すべての行為を消費者団体にやらせて、自分たちはリコールの費用は一切かからないでリコールしたのと同じというようなことになるとレピュテーションリスクはありますけれども、事業者にとってうまい話になってしまうわけで、自分できちんと問題を解決しようというモチベーションを奪う結果になってしまっては困ると思います。

ディスカッション

　参考となりましたのは、この研究会をやっている過程で、今日のご報告でもありましたけれども、フランスもそうでしたが、ブラジルとかドイツとか、日本の第二段階に相当するような重い制度は設けないで、事業者が自分でお金を払うということが基本になっているということです。それをもう少し日本も考えたらよいのではないかなと思います。そのようなことをいっても事業者が払わなかったらどうするのだということになるわけですけれど、そのあたりの監視を消費者団体なり行政なりができるようにするというようなことが、立法論としてはありうるのかなと思います。

　ゼロ段階における回収で、それが消費者団体に報酬という形で入ってくるというしくみがあるとよいと私も思いますけれども、そこで被害者から報酬を取ると、これは弁護士法的な問題、いわば事件屋的な話になってしまうかなと躊躇しますし、そこは公費負担の問題なのかなと思うわけです。適格消費者団体も同じなわけですけれど、やればやるほど損をする、どこからも実入りがないというしくみになっていますが、消費者一般の利益のために働いているわけです。そしてそのために認定されているわけですので、そこは公費負担の問題かなと思います。公費については、また別のご質問のところでもう少し詳しくご説明したいと思います。

【司会（松本（恒））】　ありがとうございました。続きまして、福岡弁護士会の黒木和彰先生から、町村先生に対する質問です。

【黒木（和）】　町村先生、今日はコストという観点で、いろいろ私どもも非常に興味がもてるというか、共感できる話ばかりを拝聴させていただき、ありがとうございました。

　その中で、結局、民事保全法上の仮差押えができるということは、目玉だといっても、使いにくいという点は全く同感です。保全の必要性は認められて、仮差押命令が発令されながら共通義務確認訴訟の期間を耐え切っていけるような事業体とはどのようなものなのだろうと考えるとなかなか難しいわけです。実際にそのような事業者がいるのか、ありうるのかということです。そこで、むしろ特定適格団体に破産手続開始の申立権限を付与するという立

法はできないかということについての、先生のご意見をおうかがいたいと思っています。

　要するに、共通義務確認訴訟の提訴前でも、金銭給付を前提とした相手方の財産に対する掴取力を前提とした民事保全を認めているということであれば、包括執行である破産手続開始の申立てをさせるということ自体は、考え方としてはありうるのではないかと思います。この申立てによって、違法業者の行為全体をその瞬間に包括的禁止命令のような保全命令等々によって止めることもできるということが考えられます。

　このほうが、実際ジャパンライフ事件などで行われた弁護団方式による破産手続開始の申立てという、ほとんど弁護士自身が個人的な財産まで突っ込んで、予納金をつくってでも申立てをしなくてはいけない方式は、社会的に絶対おかしいと思います。そのようなことを考えますと、少なくとも特定適格消費者団体に破産手続開始の申立権を与える立法というのは、行政庁全般、あるいは個別法に基づく行政機関による破産手続開始の申立権を認める立法よりも、より親和性があるのではないかと考えています。そこで、そのあたりのところについての先生のご意見をいただければと思います。

【町村】　ありがとうございます。弁護団が頑張って取り組んだジャパンライフ事件のようなケースだと、どこかがもっと早く破産手続開始の申立てを行っていたら、もう少し財産が保全できたのではないかということで、そのための制度が望まれるわけですよね。先ほど池本先生のコメントにも、破産手続開始の申立てを行政庁ができるというしくみを考えるべきという指摘がありました。

　確かにジャパンライフ事件のケースなどを考えると、消費者団体の申立権は非常に有用だと思うのですけれども、弁護団で無理をして行ったという申立てが団体であれば容易かというと、団体も結局は無理することになります。弁護団に対して団体が優位性をもっているのはどの辺かと考えると、実はあまり優位性はもっていないのです。消費者問題の専門家の弁護士の集まりと特定適格消費者団体の関係というと、恒常的に組織的な活動ができるという

点と、申立適格を法的に認められやすくはなる点はありますが、実質的には
あまり優位性はないような気がするのです。

　財政的にいっても、現在の特定適格消費者団体の財政ではとても予納金を
負担できるようなものではないので、そうなると、そこはそれこそ仮差押え
と同じように国民生活センターが負担をするとか、そういった立法があって
からの話だろうと思います。

　問題は、行政庁が破産申立権をもつ場合に、ジャパンライフ事件でさえ、
何回も行政庁が債務超過だと認定しておきながら、しかし被害者が大勢出て
きて騒ぐということはなかった。それはなぜかというと、騒ぐ人には返して
いたわけですよね。事業が自転車操業ではあっても回っている段階で、行政
庁が、それはもうやめろ、終わりだといえるでしょうか。死刑宣告といいま
すか、そういったことを行政庁のイニシアチブで出せるかというと、ジャパ
ンライフ事件だったらできたかもしれませんが、ほかの事例ではたしてどれ
ほどできるのかというのは、非常に疑問です。この点では特定適格消費者団
体のほうが債権者としての消費者の立場に基づいて申立てをするわけで、少
しは動きやすいかもしれませんが、それでも判断は難しいと思うのです。

　あと、財産保全という意味でいうと、消費者が被害回復を求めても、ほと
んどは一般債権者になりますから、破産となると全く優先権も何もないわけ
です。そうなると、そこで救済を受けるためには実体法的な手当てがどうし
ても必要になってきて、役員の責任追及であるとか、それから否認権ですね。
そのための保全処分、そういったことをもっと積極的に行えるような体制が
必要だろうと思います。

　そうなると、申立権だけでよいのかというと、もう少し破産手続の中で財
産を保全し、責任を追及するところまでイニシアチブをもたないと、破産申
立権だけでは保全としても力が弱いかなと思っています。

【司会（松本（恒））】　ありがとうございました。それでは、町村先生に対す
る最後のご質問です。京都産業大学の坂東俊矢先生からどうぞ。

【坂東】　本日は先生方のご報告を大変興味深く聞かせていただきました。ど

うもありがとうございました。おそらくまだ町村先生は話し足りないことがあるのではないかと思って、1点だけうかがわせていただきます。

集団的被害回復にかかるコストの問題をどう考えるかというのは、先ほど島川先生からもご指摘がありましたが、私も大変興味をもっています。というのも、私もKC'sにかかわっているからです。

町村先生の本日のレジュメの12頁に、コストの問題の解決の方向について、端的にいうと、事業者によるコスト負担と公共によるコスト負担という形で整理がなされております。この二つをどうきちんと整理して、具体的に制度化していくのかというところで、おそらく被害回復にかかわる特定適格消費者団体の業務も大きく変わってくるのではないかなと思います。

たとえば、本来被害額が非常に少額で、しかし多数の被害者がいるような場合においては、現状の制度では機能しないことは明らかですから、一定の、そうした場面について行政が何らかの負担をするというのも必要のように思います。そういった事案はとりわけ事業者に倒産コストが非常にあるので、事業者の負担だけをイメージして設計図を描いたのでは、それが機能しないこともありうると思うからです。この点に関する先生のご意見をお聞かせください。

【町村】　ありがとうございます。先ほど山本（隆）先生がさらに質問に答えられて、行政の立場からすると、民間活力の活用とか民営化というようなことをキーワードとしておっしゃいまして、特定適格消費者団体の共通義務確認訴訟というのは、基本的に適格団体の差止めも同様ですけども、行政庁の役割というものと重なるという話をされて、これはコメントの中でされていたわけですが、それをうかがって、さらに意を強くしたわけですけれど、そういう基盤というのは行政というか公費で下支えをするということが必要なところだろうと思います。

団体の活動を下支えするということは、行政の執行力の向上、拡大ということに実質的にはなるわけでして、行政庁の消費者行政の執行力の拡大とかいうことも今、喫緊の課題として議論されているところですが、やはり民間

団体にもっと多くの役割を果たしてほしいと。そのために行政庁がお金を出すというのには十分に正当性も合理性もあると思うわけです。

ただ、具体的事案ごとに行政が直接必要なお金を出すというのは、お金を出すかどうかの判断も行政がするのだとすると、団体の自律性にも影響しますから、どうもあまり気持ちがよいものではありません。個別の事案ではお金だけではなくて、たとえば情報共有とか、逆に情報発信ですね。個々の消費者へのアプローチのところで行政庁、地方行政庁も含めて果たしていただきたい役割があるわけです。被害者に対して団体の名前でお金が返ってきますよ、ついては少しお支払いくださいというような手紙を出したら、今の段階では、みんな詐欺だと思います。そういうことなので、たとえば消費生活センターから通知をするとか、説明会を市町村や消費生活センターと共催するとか、そういう形での役割というのは、行政庁に期待されるところが大きいと思います。

その他、刑事事件において、事実上行われている贖罪寄付というようなものを考えると、消費者スマイル基金に事業者がお金を寄付したら、事実上課徴金が安くなったり、あるいは返ってきたりというようなことが立法されるとよいなとは思ったりもします。それは間接支援ですよね。

ただし、繰り返しになりますが、団体の独立性とか自律性というのは重要でして、これは中田先生のご質問にも関係しますが、やっぱり消費者団体が行政の下請的な存在になってしまっては元も子もないわけですから、その意味では行政の資金に完全に依存するような団体になってしまっては困るというところは、最後の一線として残しておくべきだろうなと思います。

少額の問題は、確かに公費によってコストを負担すべきだということもいえると思うのですけれども、私は先ほど報告の中で最後に言いかけたように、思い切りオプトアウトにしてしまって、手続法的にも消費者の手続保障はほとんどないしくみもありだと思っています。もっと簡略化した、ラフなジャスティスでコストを切り詰めることは実現できるように思います。なかなか立法作業では受け入れられないかもしれませんけれども、そのようなことを

81

考えています。

【司会（松本（恒））】　ありがとうございました。続きまして、前田先生に対して、京都大学名誉教授の山本豊先生からご質問があります。どうぞ。

【山本（豊）】　今日はテーマ上、どうしても制度論の話が多いのですが、私の質問は、より雑ぱくな社会的、経済的、あるいは政治的背景についてうかがいたいということです。

　ブラジル法はご承知のように、わが国の消費者の財産的被害の集団的な回復のための民事の裁判手続の特例に関する法律（消費者裁判手続特例法）の少なくともその出発点においては、モデルになった法として知られていまして、本日の報告もこの制度以外に関する部分も含めて、大変興味深くうかがわせていただきました。特に町村さんの愚痴の連続のような報告、そして結局、公的支援が必要だという主張、これは私も多少差止訴訟の立法の際の審議などにかかわりましたけれども、その分野においても公的支援が必要だということを内閣府の研究会でも、行政学、行政法の専門家なども含めて議論したようなことを思い出します。そのあたりの事情は一歩も変わっていないということがよくわかる、そういう報告をうかがった後で、前田先生の報告をうかがいますと、ブラジルは天国のようだと思うと同時に、そのような制度を生み出したブラジルの社会、経済、政治的な背景、その中での法律家の位置に必然的に思いをはせざるを得ないところがあります。制度論ではなく、そのあたりについて少し説明を補っていただけるとありがたいと思います。

　つまり、そうした社会、経済、政治的背景への洞察なしにいろいろな制度を紹介されても、なかなか、われわれとしてどう参考にして、わが国の議論にどうつなげていったらよいかというところが非常に隔靴掻痒であるからです。この質問はほかの比較法的な検討にも同時に向けられていますけれども、中国については、不十分かもしれませんが、われわれにはそれなりに情報があるような感じがしますけれど、ブラジルについてはその辺をぜひ補っていただきたいなということで、ブラジル担当の前田先生に質問をさせていただいているわけです。

ディスカッション

　そしてもう一つの質問は、現実問題として総体的にみて、日本の消費者と
比べてブラジルの消費者はより強く保護され、より高い経済厚生を享受して
いると評価すべきなのか、本日の話の中でも大型スーパーが苦情の宛先のナ
ンバー2というようなことなどをうかがいますと、必ずしもそうともいえな
いのではないか。わが国の社会のメカニズムを踏まえ、もう少しいろいろな
多様なメカニズムを考慮に入れてこの問題を考えていかなければいけないし、
本日の問題は適格消費者団体への公費支援のあり方も含めて優れて社会、経
済、そして政治の問題のような感じもしますので、そういう問題意識から、
ブラジルに今日は焦点をあててご質問をさせていただいたということです。
よろしくお願いします。

【前田】　山本先生、ご質問ありがとうございました。ブラジルの制度は天国
のようだとおっしゃっていただきましたけれども、本当に浮世離れした制度
ですので、なかなか質問がこないのではないかなと思っていたのですけれど、
本当にありがとうございました。

　まず一つ目のご質問ですけれども、社会、経済、政治的背景がどうなって
いるのかということなのですが、日本と違う点としまして、明確な社会階層
があって、支配階級にあたるような上層のブルジョアジーとか中間層とか、
それから労働者階級、それから被抑圧階級というアンダークラスに属すよう
な、スラムに住んでいるような人、そういう同質性の低い社会構造になって
いるということがありますので、それぞれの国民が必要とするものが異なっ
て、たとえば公共弁護庁というのは、そういう上層階級にいるような人とい
うのは存在は聞いたことがあるけれど、まず利用することはないわけで、公
共弁護庁というのはそれを必要とする人がいて、かつ利用可能な収入状況を
満たした人が利用するということで、いろいろな制度的なツールというのは
適材適所で考えていっていると思います。

　また、こういった法制度として理想的な、天国のような法律が出てくる背
景としまして、その一部の上層階級にあたる支配階級から法律家が生まれて
います。そういう人たちというのは、比較法を駆使して理想的な法律をつく

83

るというところがあります。

　ですので、日本では考えられないような法制度が出てきます。日本もブラジルもヨーロッパの継受法国になりますけれども、日本とは違って、継受法国といってもブラジルの場合はヨーロッパ移民の本当に祖国法にあたるわけですので、継受法のニュアンスも若干違うという側面もあるかと思います。ヨーロッパ本国では採用に至らなかったような制度が採用されていたりといった、理想的な法制度が実現されているような分野も消費者法以外をみてもあるといわれています。

　それから、現実問題としてご指摘いただいた点ですけれども、1990年に消費者保護法典が制定されて今日まで、消費者の権利意識がブラジル国民に浸透したことは間違いありません。しかし、確かにプロコンが課徴金を課している事例や、検察庁が提訴している集団訴訟の事案などをみましても、日本でも問題となっているような携帯キャリアですとか、大型スーパーですとか、ネット販売もしている大型スーパー、あとは金融機関ですとか、日本と全く同じような事件が起きています。大型スーパーで本日紹介したのは、引渡しの遅延が問題となっていた事案でして、それでプロコンから課徴金も課されて、かつ検察庁から集団訴訟も提訴されていた事案です。この事案では最終的に消費者には損害賠償を個別に払えということが一つ。それから特別基金に約9000万円納めろというのが一つ、それから、引渡しの期間に関する表示を改めなさいという判決内容です。こうした最終的解決に着目すると、日本では全部はできないような多様な被害救済と抑止の手法の組合せが実現していると思っています。

　こうしたブラジルの制度の効果に着目しまして、日本でもたとえば国民生活センターとか消費者庁に提訴権を与えて、全部ブラジルと一緒にしてしまえばよいではないかというまでの議論はしていないのですけれども、参考にできるようなところもいくつかあるのではないかと思っています。今日いろいろ報告させていただいた中では、行動調整という集団 ADR ですとか、あるいは証明責任の問題に関して、民間団体のみに提訴権を与えている日本の

制度では検察庁のように捜査権がありませんので、情報収集に限界があるという点で証明責任を転換するですとか、そういったブラジルの制度を取り入れることができるのではないかと思っています。

それから、今回は消費者裁判手続特例法がブラジルの制度を参考にしたということですけれども、日本とブラジルの法制度交流みたいなものはこれまでも行われていまして、たとえば日本の家庭裁判所や簡易裁判所制度を参考にブラジルでは簡易裁判所をつくりまして、それで日本では調停や和解でなるべく合意に基づいて解決するという法文化があることがブラジルでは有名でして、それで調停前置主義を採用した簡易裁判所制度を日本に倣って創設しています。

またもう一つ、ブラジルと日本で違う点としては、訴訟が約1億ぐらいある訴訟大国なのです。ですので、まとめられるものは全部まとめて集団訴訟をするというほうが効率性があるということもあります。加えてブラジルの問題としては、行政の非効率がありまして、大統領が替わると新しい大統領が新しい行政官を指名しますので、全部行政官が替わってしまって、行政の継続性がないわけです。そうするといろいろな、日本だったら行政が対応してくれるような問題も司法に頼らざるを得ず、あらゆることが司法で解決するという形になる結果、訴訟が多くなってしまうということがいえると思います。

【司会（松本（恒））】 ありがとうございました。あと4人でございます。次は白出先生に対して、消費者機構日本の会員の納英輔さんから質問がありますので、どうぞ。

【納】 本日はどうもありがとうございました。おうかがいしたいのは、ご報告の中で、中国における消費公益訴訟は、検察機関の提訴に比べて、消費者協会の提訴件数が、国土・人口の割に多くないとのことでしたが、その原因は何でしょうか。たとえば中国が共産主義国家であることや、都市部と地方との間で消費公益訴訟を担当する消費者協会の諸々の条件が極端に異なることなども関係するのでしょうか。私は法律の専門ではございませんので、雑

ぱくな質問で申しわけないのですが、お答え願えたらと思います。よろしく
お願いします。

【白出】　非常に難しい質問をありがとうございます。まず、先ほど私の報告
では、消費者協会による消費公益訴訟の件数、今日の資料で申しますと31分
の22と23のところに、これまで13件しかないと申し上げました。少し補足し
ますと、消費公益訴訟ができたのが2013年10月の新しい消費者権益保護法で、
これが施行されたのが2014年３月15日、世界権利者保護の日ですが、第１号
事件が2014年の12月、第２号事件が2015年７月。非常にブランクがあります。
これについて４つぐらい要因があると思います。

　まず１点目、先ほど納様のほうからご指摘のあった、社会主義ないし共産
主義に至る背景との関係について。これは一つは権利意識、あるいは自分の
私権の実現についてどのような意識が高いのか。あるいは、それが実現され
る制度がどれぐらい充実しているのかということとも絡むのですが、より公
益訴訟との関係、特に先ほど指摘した検察機関による公益訴訟が圧倒的に多
く、消費者団体によるものはこの13件しかないこととの関係でいうと、検察
機関の歴史的な位置づけもある程度関係すると思います。

　すなわち社会主義ないし共産主義でいえば、公有制です。自分の身の回り
のものは自分のもの、でもその他のものは公有。まして社会公共利益の侵害、
環境や資源の損害というのはまさに国有財産、国家的な利益への侵害である。
あるいは不特定多数の消費者被害、大規模消費者被害、これは別の見方をす
れば社会経済秩序への侵害であり、また消費者公序への侵害であると。では
誰がこれを守るのかといえば、まさに公益の代表者、あるいは公益保護を目
的とした法律監督機関としての検察しかないということが、一つ論理的に出
てくるところです。

　歴史的にみますと、検察院がレジュメにも書いた法律監督機関、あるいは
訴訟手続との関係では裁判監督手続といって、実際には再審手続に当事者以
外として、公の立場として検察が民事、行政、刑事、それぞれの訴訟手続に
出てくるのですが、その背景は、中国では昔は三審制だったのを二審制に変

86

えました。では、一審分足らなくなった部分を誰が保護するのか。これと一緒に入ったのがこの裁判監督手続、これを行うために検察が再審権者として入ってきて、その部分をカバーするというものです。これはソヴィエト連邦の法（ソ連法）を淵源とするもので、1954年の法院組織法からそのような形になっています。

　すなわち公有制においては私権を承認しないので、すべてが公共利益に及ぶところ、当該手続の主体は、私人紛争の当事者ではなく、公権力の代表者である検察院の院長ないし裁判所の院長、これに改める、公共利益を内容とする範囲の法律問題審査から全面的に裁判所が審査するという、非常に職権主義を強調した手続になっています。

　ただ、現在もソ連法の影響を受けた国はたくさんあるのですが、全体的なトレンドからすると、この裁判監督手続は廃れる方向にあります。にもかかわらず、中国では2011年、2012年、2014年の三つの訴訟法改正で、この再審の部分について、どのようにさらに手続的に保護するのかという観点から、むしろ検察による再審申立てを強化しており、世界的なトレンドからいうと、逆の方向に行っているのが中国です。

　そして、その延長の流れとして今回、社会公共の利益を誰が守るのかという問題で、またクローズアップされてきたのがこの検察公益訴訟だという部分では、若干公有制なり社会主義という考え方と関係があると思います。

　ただ、もちろん、先ほど中田先生からご指摘もありましたが、本来の消費者あるいは消費者団体の目線からいうと、検察だけに任せておいてよいのか。特に環境保護法との関係でいえば、環境公益訴訟は、法律上は民衆参加という章に位置づけられた制度、この消費公益訴訟は法律上は紛争解決という章に位置づけられた制度ですけれども、先ほど申し上げた消費者協会というのは、非常に公的な色彩が強い団体です。逆に日本で皆さまがイメージされるようないわゆる消費者団体、これは中国でそのような団体を管理している民政部の認識によると、中国には存在しません。要するに結社の自由がなく、公の部門が認める要件をクリアしないとそもそもそのような団体はないとい

う状況下で、では誰にやらせるのかとなったときに、この消費者協会が出て
きたという経緯があります。

　したがって、非常に検察に頑張ってもらっているたくさんの環境問題も、
あるいは消費者保護の問題もやってもらうのはよいのですが、その部分につ
いてはそういった消費者なり、あるいは環境 NGO なりの民主的な運動など
の意義を重視する立場からすると、検察公益訴訟というのは美しい制度だけ
れども危険な制度でもあるという指摘があります。しかし、消費公益訴訟あ
るいは環境公益訴訟は誰のためにある、何のための制度なのか、これをもう
一度突き詰めてみて、やはり社会公共の利益を守るという観点からすると、
それなりの効果が上がっているので、そのような批判があるとしても、これ
は一定程度評価すべきではないかというのが私の考え方です。

　2点目、なぜ2014年3月から施行されたのに2016年以降になって実際の事
件が手続に上がってきたのかという点です。これは実は先ほど言ったように、
消費者権益保護法では公益訴訟を提起できるというだけの条文で、手続的な
特則が全くなかったのです。ですから、訴訟を起こしても、どのような手続
でやってよいのかというのは裁判所もわからないし、まして当事者もわから
ない状態が約2年間続いていました。そして、最高人民法院が消費公益訴訟
の手続に関する司法解釈をやっと出したのが2016年だったので、それまで手
続的なブランクもあったということの影響も大きいと思います。

　3点目、これはもう少し具体的な事件との関係で、具体的な数字を申し上
げます。中国において消費者被害の解決を主に担っているのは消費者協会で
す。これが非常に高い解決率で消費者クレームを解決しているのですが、大
体年間60万件から70万件ぐらいのクレームについて消費者協会は、毎年、そ
の約6割から8割ぐらいの紛争を解決しています。

　したがって、提訴に至る案件がそもそも少ない。消費者個人が提訴し、消
費者協会がサポートした案件が、70万件に対して大体年間1400件ぐらいで推
移しているのですが、そもそもその程度の数字なのですね。まして消費公益
訴訟では先ほど言った合計13件になっているのです。

　では、なぜ消費公益訴訟がこれほど少ないのか。先ほど申しましたように、新しい制度だから変な判決はとりたくない。これは日本でも中国でも同じ発想だと思うのです。まして、不特定多数の大規模な消費者被害ですから、いろいろな立証の点でも事実解明の点でも、あるいは証拠を集めるという点でも、非常に難しい。そういった部分が当然背景にあるのですが、具体的には北京、広州、上海などの大きな消費者協会ではそれなりの能力やスタッフあるいは情報はあるけれども、特にもう少し地方の消費者協会になるとなかなかそういった能力などが伴わない実情もありますが、とにかく変な判決はとれない。

　ただ、先ほど申し上げた消費者協会が、毎年、クレームの約6割〜8割について解決しているといっても、どの程度のレベルで解決しているのかという問題も、実は統計の裏に隠された問題だと思うのです。

　これはいろいろな闘い方が実務上あるはずで、たとえば「違法行為を改善しろ。被害回復10割でなかったら提訴するぞ」といって闘う団体もあれば、諸般の事情から8割ぐらいでもよしとする場合もある。これは先日、野々山宏弁護士が北京に来て意見交換をしたときに言われたことで、「やはり原則として10割をめざさなければ駄目で、より積極的に提訴を検討すべき」という話をされたことがあるのですが、他方で中国の消費者協会がクレームの約6割〜8割を解決していて訴訟になっていない、でもどの程度なのか。実際には裁判でもないのに、相当数の懲罰的賠償をこの消費者協会のADRで獲得しているようですが、その中からさらに事案を絞ってやってきたのがこの13件になると、そのような位置づけになります。

　4点目で訴訟法的にいえば、中国の管轄問題があります。この中国の消費公益訴訟というのは事案解明が難しいので、中級法院を第一審としています。先ほど申しましたように、中国は日本の約26倍の面積があり、省でいうと31あります。日本の約26倍の面積に合計33の適格消費者団体があるイメージです。ちなみに中級法院は約400ほどしかなく、一つの中級法院の管轄する地域が非常に広いのです。したがって、そういった意味で消費者のほうが裁判

所、あるいは具体的に担当する消費者協会の司法アクセスが難しいことも背景にあろうかと思います。

　最後に、やはり国土の広さ、人口の割合からも中国の消費公益訴訟がまだ多くないといったのは、中国に伸び代が存在することの指摘だけではなく、今後は、もっと日本でも提訴してよいのではないかという私の思いも背景にあります。

【司会（松本（恒））】　ありがとうございました。あと３人ですので、よろしくお願いします。京都産業大学の坂東俊矢先生から、宗田先生に対して質問があります。

【坂東】　質問というよりは感想です。先生から今日いろいろ教えていただいて、とても刺激的でした。適格消費者団体の実務では、いわゆる差止請求のときに返金を要請することはもちろんあります。ただ、差止請求とは別の制度として、いわば適格消費者団体の業務ではなく、いわゆる消費者団体一般の要請として返金も考慮してほしいということを書くのが通常だと思います。今日の先生のご指摘を承って、これから文章をもう少し考えないといけないなということも含めて刺激を受けたということでございます。先生からもしご感想があれば、一言いただければと思います。

【宗田】　本当にそのような感じでやっていただければと思いますね。

【司会（松本（恒））】　それでは続きまして、弁護士の鈴木先生から、同じく宗田先生に対する質問です。どうぞ、鈴木先生。

【鈴木】　たびたびすみません。宗田先生の予稿ですと、59頁のところに返金命令のことについてお書きになっていて、とにかく不当表示や不実告知によって誤認をして商品を購入させられたことという違反行為を規定して、これを回復するためには返金するしかないとして、返金命令をするようにすればよいのではないかという提案があるのですが、このときに、不当表示とか不実告知の認定はまだできると思うのですけれど、誤認をしてその商品を買ったということの認定をするためには、個々の消費者を特定しないと、誤認をしたかどうかもわからないのではないかと思われるのです。

　もし抽象的に消費者のクラスを考えて、誤認をして商品を購入したというふうにとらえるのであれば、そもそも一般に消費者が誤認をするようなものを不当表示としているのだから、同じことになってしまうのではないかというふうに思われ、具体的な認定をどのようにするのかというところについての質問です。

【宗田】　わかりました。ありがとうございます。おっしゃるとおり、一緒の部分が多いですよね。それは当然事実認定が重なるところが多いわけですけれども、不当表示というものは、多数のものに対する不当な表示というものを問題としている、違反としてとらえているものだからだということですよね。それは同じ認定が行われる必要があるわけです。

　ここで問題なのは後半部分なのですね。欲しない商品を購入させられたという事実が、今おっしゃった特定の層の部分の消費者にそういう状態があるということを認定しないと、返金というお金が返ってきたところが違法状態の排除の裏返しとして命じられなくなってしまうので、ですから実際に購入した人がいないという事例もあるわけです。当然、概念上は考えられるわけです。そういう場合とは違うのだというところ、そこの認定が必要だと、こういう話になるのですね。

【司会（松本（恒））】　それでは最後ですが、弁護士の山口広先生から、MRIインターナショナルとスルガ銀行のケースについて状況を報告したいということでございますが、これはアメリカでの裁判なので、場合によっては粕岡先生から少しコメントをいただければと思います。どうぞ。

【山口】　オールドファッションの弁護団活動で被害救済をやっている弁護士なのですが、MRI被害事件といいますのは、アメリカの企業のMRIインターナショナルが日本の消費者に高利の運用利回りが保証されますということで投資を勧誘しまして、8300人の消費者から1300億円ぐらいのお金を集めて、返金約束をしているのにかかわらず破綻して、2013年に金融庁が行政処分をしたという案件です。アメリカの企業だったものですから、今、これまで5年間SEC（米国証券取引委員会）にディスゴージメント、違法収益剥奪の手

続をしてもらっておりまして、これによって30億円くらい回収ができそうです。

　それから、MRI インターナショナルという会社と社長だけを SEC が訴えたものですから、日本の支店長的な立場の人物たちが被害救済の対象となっていなかったので、クラスアクション訴訟をアメリカで裁判を起こしまして、これも陪審裁判をやると陪審裁判の手続だけで2000万円かかるといわれて、そのような費用は負担できないということでいろいろ苦しみました。けれども、15億円ほど吐き出させて和解するという形で決着しました。したがって、SEC の手続と民事のクラスアクションの手続が並行してアメリカで進行しているという形になっています。おそらくうまくいけば来年ぐらいには、したがって７年かかりましたけれども、非常にまた金額も不十分ですが、回収できるのかなという状況です。

　なお、この関係でいちいち和解をするかどうかというときに、8300人全員に意向を打診しなければならないのですが、アメリカの裁判所が一般の新聞に広告を掲載して広報しなさいという命令を出しまして、日本の新聞ですと小さな広告を出すだけで100万円かかるので、何とか勘弁してくださいと言ったのですが、法律で決まっているからやりなさいということで、100万円を支払って日本の新聞に広報しました。ただ、これではかなわないということで、国民生活センターの松本理事長におすがりしまして、２回目以降の広報は国民生活センターのウェブサイトで、インターネットで公表するということで、費用を節約して広報活動をさせていただいています。

　今まさにラスベガスで刑事裁判が陪審裁判でなされているわけですが、そのような状況で、やはりアメリカでも７年〜８年はかかると痛感しているところです。

　中でも、痛感したのは、アメリカの裁判だと、日本の証券取引等監視委員会がアメリカ側の SEC に提供した資料が裁判でどんどん出てくるのですね。

　ところが日本の裁判では、金融庁あるいは証券取引等監視委員会がもっている証拠は、そう簡単に裁判でも出してくれません。私自身は高島易断の関

係で、経済産業省（経産省）が行政処分を当時の特定商取引法の違反の事件
で摘発しましたので、民事裁判で、当時はまだ経産省でしたけども、経産省
がもっている高島易断の違法の判断をした処分の根拠の資料を出してくれと
言ったら、出せないと言われました。さんざん議論した結果、文書提出命令
を裁判所から出していただいて、ようやく証拠が出てきまして、それでよう
やく勝てたという事件がありました。日本の裁判の、役所がもっている証拠
を活用して、損害賠償でも差止めでも何でもよいのですが、使うのは本当に
大変だなということを痛感しているところです。

　それから、今年（2018年）１月から始まったスルガ銀行の融資責任の関係
で、金融庁のことを簡単にコメントさせていただきたいと思います。金融庁
は昨年はスルガ銀行はとてもよい銀行だということで、長官が自ら褒め上げ
ていたような銀行なのですが、とんでもない違法な貸付けをしていまして、
１人あたり平均約１億3000万円を約900人に融資していたわけですけれども、
そこにはいろいろな借入書類の改ざんとか、あるいは抱合せで必要もない高
利のフリーローンを借りさせるというようなこともありましたが、幸いにも
金融庁のほうがつい先日、10月５日に行政処分を出しました。

　その行政処分の中で、被害者の適切な救済をする体制をとりなさいという
ことを処分の中に明記していただいたので、現段階ではスルガ銀行のほうは
この金融庁の処分に応ずるべく、おそらく、一昨日あたりに出したと思うの
ですが、３万数千名の債務者に対して、あなたは借入れ申込みをするときに
偽装があったと思いますかどうですかと、私どもからいえば極めて不十分な
アンケート調査ではありますが、アンケート調査をして、それなりの救済な
り解決をしなければいけないということで、かなり強力な金融庁の処分をし
ていただいています。行政も裁判ではできないことを金融庁、行政のほうで
もやっているというところで、私どもとしては評価しているところです。

【司会（松本（恒））】　ありがとうございました。籾岡先生、何かコメントは
ありますか。

【籾岡】　１点だけ補足させていただきますと、今日の私の発表の中で申し上

げ損ねたのですけれども、SECにはFTC（連邦取引委員会）と違いまして、民事制裁金を基金のほうに入れまして、それを被害者に分配するというシステムがあります。それが今回のMRI訴訟においても活用されているということになります。

　実はSECには二つ基金がありまして、フェアファンドというものと、インベスタープロテクションファンドという、これは2010年にできたものですけれども、この制定法の規定によって今回、民事制裁金が被害者にわたるというところがあったようです。

　今回のようなアメリカのケースですけれども、実は行政機関同士がかなり連携を結んでいまして、FBI（連邦捜査局）、それから司法省、そしてSEC等が情報をかなり共有して、このような手続をするということが多いようです。

　ちなみに2年前のフォルクスワーゲンの事件も、同様に多額の民事制裁金を回収しているというところがあります。

【司会（松本（恒））】　宗田先生からも一言お願いします。

【宗田】　ありがとうございます。先ほどの池本先生のご指摘について検討したらということで。特定商取引法上、違法行為が終わった後、指示が出せないのだということ、それから適格消費者団体の差止請求の場合もそうなのだというところ、これに関して、それも出せるのだという法目的との関係で議論したらいかがだろうかと、このようなご教授をありがとうございました。

　私が思うに、法目的を見比べてみましたところ、どうもそのような差異は導き得ないものだと考えました。先ほど申し上げましたように、違法状態排除処分というものによって、違反行為が終わっていても処分を出せると考えられます。これは特定商取引法の指示にも景品表示法上の措置命令も差止めも皆そうなのですね。ですから処分の内容として、違反行為が終わっていても違法状態排除処分ができるのだと、このように考えられていて、景品表示法上それができると書いてありますね。それは確認規定だと私は考えます。

　最後になりますが、河上先生からのとても有意義な、とても勉強になる指

摘がありました。何かと申しますと、国民の税金を使って行政機関が特定個人の救済をするということは、全国あまねくサービスを提供する行政の地位というものを考えますと、これはおかしいのだということです。

それは私も論文で、『獨協法学』の100号のところの最後のところで検討したところです。非常に重要なところだと私も認識していまして、それで、そこにおいて簡単な記述があります。従来から、被害者の救済は司法によって行われるものとされてきました。それは本来、被害の回復という問題は私人間における問題であって、国家が一方の当事者のために国家権力を発動して助力することは公的存在の公平性の維持の観点からみて妥当なものではないからだ、とおっしゃったのと同じです。

しかし、今日のように高度に資本主義経済が発達し、市場における参加者間で情報力や資本力等の要素の格差が生じ、ある事業者の一定の市場行動が他の、私はここで追加したいのですが、他の単数の市場参加者ではなくて、他の多数の市場参加者に対して、市場における競争秩序や取引の公正に反する形でその者らの利益を侵害し、その者らに財産的被害を生じさせ、その被害を回復しないという状態がもはや公法違反による違法状態を作出し続けているという場面が見受けられているようになっているのではないかと。そのような市場の機能不全を解消するために、被害回復のために公的機関による介入が要されているのではないかと私は考えています。

特定の個人一人だけのためではなくて一定多数の集団の救済が必要であり、それは集団の被害というものが生じて、それが公法的な違法状態を作出せしめているからであるということです。

では、それから河上先生が先ほどおっしゃられた、なぜ日本で今まで行政が救済をやらなかったのかというところについてです。これは間違いなく行政の方々の立場からすれば前例がない、これはよく聞く話です。そしてまた、そのための支える理論もない。これは、われわれ学者の責任ですが、その理論を提供するという外国の資料もなかったのが現状、今までのところだと思います。

　そのようなわけで、微力ですけれども、われわれがこうしていろいろと追求することによって、確かに、前例がないというのは仕方がないのですけれども、それを立法によって後押しするということが必要なのではないかということだと思います。そして、この間の消費者契約法の改正の参議院附帯決議の10項後段におきましても、被害回復のための行政による措置の導入を早急に検討すべきだと盛り込まれているわけです。

【司会（松本（恒））】　ありがとうございました。これで質問に対する回答は一通り終わりましたので、そろそろシンポジウムを終わりたいと思うのですが、終わりにあたって司会者から、それぞれ簡単なクロージングをさせていただきます。

　まず、オーガナイザーといたしましては狙いがあたって、非常に活発な議論をしていただけたと思います。その中で私は公と私の関係、公法と私法の関係、あるいは行政と民間の関係を今後の消費者被害の救済、抑止のプロセスにおいてどう考えるべきかということを一つの大きな焦点にしていたわけですけれど、そのとおりの議論が行われたと思います。

　それぞれの役割を重なるものと考えないで、いかに組み合わせるかという発想もあるかと思うのですけれども、重なることは別によいのではないかという方向の議論が多かったと思います。私自身はまさに重なってよいのだと、クロスオーバーの立場で考えていまして、議論の中でも消費者契約法上の適格消費者団体による差止めというのは実は行政の権限を一部民間に与えたものだというご指摘が行政法学者からなされましたが、そのとおりだと思っています。

　もしそうだとすれば、消費者裁判手続特例法における特定適格消費者団体の機能というものも消費者契約法のまさに横出しであって、行政の民営化の横出しということが言えるだろうと思うのです。そうだとすれば、逆にひっくり返して、消費者裁判手続特例法における第一段階目の訴訟のところだけ行政あるいは行政機関的なところが担っても、あまりおかしくないのではないかという印象を受けました。

ディスカッション

　それから ADR ないし和解、あるいは行動調整とかアンダーテーキングだとか、国によって言葉は違いますけれども、事業者と消費者、あるいは行政が合意によって問題を解決していく、被害回復の解決を図るということがそれぞれに行われているわけで、ここにも主体のクロスオーバーが表れているかと思います。

　それからもう1点、伝統的には行政規制に違反した場合の民事効果はどうなるのかという議論が行われてきて、民事効果が少しずつ増えてきました。そういう形のクロスオーバーもありますが、今日の議論では、逆に民事的に違法な場合には行政法的にも違法になるという、消費者に対する優越的地位の濫用なのだから独禁法的な規制が可能なのだという議論も出てきたわけで、これは民事ルール違反の場合に行政規制違反にもなるという逆のクロスオーバーかという感じがしました。

　それから、国によって、民事裁判において行政の資料がどんどん出てくる例が結構あるということで、ここにもクロスオーバー的な部分があるのではないかという印象を受けた次第です。では、吉田先生どうぞ。

【司会（吉田）】　最後に発言するという予定はなかったのですけれど、今、松本先生からおまえもしゃべれということですので、一言だけ申し上げます。

　松本先生は、まとめのご発言の最初のところで、行政と民間あるいは公と私の関係が問われるという点を指摘されました。私も、発言を求められたときに、まさにそのことを考えました。今日のシンポジウムでは、公と私、あるいは行政と民間の関係が問われ、その中で、両者の関係における日本的な特殊なあり方というものが非常に鮮明に浮かび上がったのではないかと思います。

　2点だけ標語風に申し上げます。

　第1点は、日本の公あるいは行政は市民を守らないということです。端的に検察官を例にして申し上げたいと思うのですけれども、私はフランス法を専門にしていますが、フランスの検察は、市民社会のパブリックな利益の擁護者です。だから単に刑事事件の起訴などだけをやっているだけではなくて、

さまざまな民事にかかわる仕事もします。実は、日本民法の中にも、検察官が出てくる規定はたくさんあります。しかし、検察官は、民法に規定された役割に関して、実際には何もやっていません。フランスの影響を受けて民法をつくったがためにフランス的な検察の考えが民法に入ったのですけれども、その精神は換骨奪胎されたということで、検察官の役割は、フランスと比較して非常に狭いものになってしまっています。

　ブラジルなどもラテン的な検察の影響を受けていると思うのですけれども、ブラジルでは日本とは異なり、本来の検察の役割が前面に出ています。先程来ご指摘があったように、検察が担当する事件が非常に多い。これはまさにラテン的な検察のイメージだと思います。

　もう１点は、日本においては民間が公すなわちパブリックを担うことが、ないとはいいませんが、極めて少ないということです。ないとはいわないというのは、NPO（特定非営利活動法人）を含めて、そのような組織は確かに存在するのですけれども、やはり非常に少ないといわざるを得ません。

　ここでは、本日のテーマからはやや離れる嫌いもあるのですが、先ほど検察官の例を出しましたので、公証人の例を出してみたいと思います。日本の公証人制度は、一応フランスを母法にして入れたのですけれども、その社会的な存在意義は、全く違います。フランスの公証人は、国家と市民社会の間にあって、パブリックなものを体現し、いわば公と私のインターフェースになっています。そして、公証人を媒介にした法の実現が非常に活発というか、大きな意味をもっているのです。人数的にも、フランスでは現在１万3000人程度の公証人がいます。日本では500人以下です。ということで、量的に全く違うし、何よりも市民との距離が全く違う。日本の公証人は、公と私とのインターフェースとしての役割を果たしていません。ここでは、公証人が消費者問題で役割を果たすべきだというようなことを述べているのではありません。そうではなくて、日本では、公証人の現実のあり方に象徴されるように、公と私のインターフェースが欠落している。そして、そのことによって、消費者問題も法の実現という点で弱点があるのではないか。ここで指摘した

いのは、そのようなことです。

　大変雑ぱくな話で印象論にすぎず、具体的な話ではありませんけれども、私は、そのような日本社会の特殊性というものを強く感じます。それを踏まえて、だからどうだという具体的提言が直ちに出てくるわけではありませんが、われわれは、公と私との関係性において、非常に特殊な社会に生きているのだという認識をもつことがまず大事なのではないか、それを変えていく努力をすることが大事なのではないか。このようなことを、今日のシンポジウムを伺っていて非常に強く感じた次第です。

【司会（松本（恒））】　それでは、長時間シンポジウムにお付き合いいただきましてありがとうございました。（拍手）

大会開催報告

第11回大会シンポジウム

「消費者被害の救済と抑止の手法の多様化 ——実効性確保のための執行主体のあり方——」開催報告

　2018年11月11日㈰10時〜17時30分、青山学院大学青山キャンパス本多記念国際会議場（17号館6階）において、日本消費者法学会第11回大会が開催されました。

　松本恒雄国民生活センター理事長による「消費者被害の救済と抑止の手法の多様化——共同研究の趣旨と最近の動き——」、菅富美枝法政大学教授による「刑事・行政・民事・自主規制の組み合わせによる消費者被害の抑止と救済——『脆弱な消費者』の包摂を意識して——」、町村泰貴成城大学教授による「消費者団体訴訟のコスト負担——集団的消費者被害回復裁判手続を中心に——」、前田美千代慶應義塾大学教授による「公的機関を主体とする消費者集団訴訟——ブラジル法における制度運用を参考に——」、白出博之弁護士・国際協力機構中国長期派遣専門家による「検察院等による公益訴訟からみる消費者被害救済」、粂岡宏成北海道教育大学教授による「行政機関による司法手続を通じた消費者被害の金銭的救済」、宗田貴行獨協大学准教授による「行政処分による消費者被害救済」の報告がなされました。

　その後、河上正二青山学院大学教授、山本隆司東京大学教授、池本誠司弁護士によるコメント、フロアを交えたディスカッションが行われました。

　本号では、各報告者の要旨およびディスカッションを掲載しています。

総会開催報告

2018年11月11日㈰13時15分〜13時40分、青山学院大学青山キャンパス本多記念国際会議場（17号館6階）において、第11回総会が開催されました（出席会員99名）。

1 協議事項

後藤巻則理事長より、2017年度（2017年4月1日から2018年3月31日まで）における会計について、以下のとおり報告がなされ、承認されました。

① 2017年度（2017年4月1日から2018年3月31日まで）の決算は、会費収入が例年に比べて若干少なくなっているが、これは2016年度に会費の未納金について多く納付を受けられたことによる反動の可能性があること、催事関係収入が少し落ち込んでいるのは2017年度の大会が台風の影響を受け、参加者が少なかったことによるものであり、特段の不安定要素はない。

② 2018年度（2018年4月1日から2019年3月31日まで）の予算案で、事務作業委託費が昨年予算で45万円のところ65万円になっているが、これは2017年度の事務作業委託費の支払い（約20万円）が事務局の手続の遅れで年度をまたいでしまったことからその分を予算に計上したことによるものであり、安定的な会計状況である。

③ 役員の任期満了に伴う、役員改選については、全役員が留任する。理事長は後藤巻則教授から河上正二教授に交代する。

2 報告事項

後藤巻則理事長より、以下のとおり報告がなされました。

① 次回の第12回大会の開催校は金沢大学とし、交通の便等の理由から、金沢駅付近のホテル等での実施も含めて検討をする。

② ホームページの管理方法を若干変更し、そのための予算（20万円弱）

を確保する。

③　2017年10月18日から2018年11月2日までの間に、13名の新規入会があり、4名の退会があった。

④　大会の構成や運営の仕方については継続して審議する。

⑤　学会誌におけるレジュメの引用の仕方等については、学会誌編集委員が協議のうえで進める。

理事会開催報告

〈**日時**〉 2018年11月11日(日)

〈**場所**〉青山学院大学青山キャンパス　本多記念国際会議場

〈**出席者（順不同）**〉町村泰貴理事、吉田克己理事、鹿野菜穂子理事、河上正二理事長代行、後藤巻則理事長、松本恒雄理事、村千鶴子理事、中田邦博理事、坂東俊矢理事、松岡久和理事、谷本圭子理事、村本武志理事、山本豊理事、朝見行弘理事、笠井修理事、齋藤雅弘理事、宮下修一理事、大澤彩理事、岩本諭理事、鳥谷部茂理事、薬袋真司理事、谷みどり理事、川地宏行理事、尾島茂樹理事

〈**委任状（順不同）**〉千葉惠美子理事、馬場圭太理事、高橋義明理事

〈**審議事項（抄）**〉

(1)　予算関係

後藤巻則理事長より、2017年度収支決算および2018年度収支予算について説明があり、承認された。

(2)　会員関係

後藤巻則理事長より、新規入退会者について説明があり、承認された。

(3)　来年度の大会テーマ・開催校について

大会テーマについては、いくつかの候補が挙がったが、理事会の時間内では決定に至らず、各テーマの責任者との協議により早急に決定すべきものとされた（理事会後、鳥谷部理事を責任者として、「不動産取引と消費者保護」をテーマとすることが決定された）。また、会場校は金沢大学とし、交通の便等の関係から、金沢駅周辺の施設での実施を含めて検討すること、尾島理事を責任者とすることが決定された。

(4)　役員の交代について

後藤巻則理事長から任期満了を機に理事長退任の意向が表明され（企画・運営担当理事は継続）、協議の結果、河上正二理事長代行が理事長に選任され

103

た。任期満了となる理事・監事を含めて全員留任とされた。理事長代行の選任については河上新理事長に一任された（理事会後、町村理事が選任された）。

(5) 今後の学会大会の構成等について

宮下理事から報告があり、学会大会における個別報告や地方大会の実施可能性等について次年度以降の議論に委ねるとの意向が示され、承認された。

(6) その他

町村理事から報告があり、ホームページの管理方法を若干変更し、そのための予算（20万円弱）を確保することが承認された。

学会誌におけるレジュメの引用の仕方等について、学会誌編集委員が協議して進めることが承認された。

日本消費者法学会規約

平成20年11月30日総会決議
改正：平成27年11月 7 日総会決議

第 1 条（名称）

　本会は「日本消費者法学会」（英文名：Japan Association for Consumer Law）と称する。

第 2 条（事務所）

　本会は、理事会の定めるところにより主たる事務所を置く。

第 3 条（目的）

　本会は、消費者法の研究者及びこれに関わる実務家、その他消費者問題につき学問的関心を有する者相互の連携と協力を促進し、この分野の研究発表や情報交換の場を提供することを通じ、国際的視野に立って、消費者法の学問及び実務の発展に寄与することを目的とする。

第 4 条（事業）

　本会は、目的を実現するために、次の事業を行う。

(1)　研究会及び講演会の開催

(2)　機関誌その他の刊行物の発行

(3)　共同研究の推進

(4)　内外の学会、その他の研究機関または研究者、実務家との交流、連携及び協力

(5)　その他理事会において適当と認める事業

第 5 条（支部）

　理事会は、必要と認めるときは、本会の支部を設置することができる。

第 6 条（会員）

　本会の会員は次のいずれかとし、これらの会員をもって本会は組織される。

(1)　正会員

　　消費者法、消費者問題またはこれらに関連する分野の研究または実務に従事する者

(2)　準会員

　　消費者法、消費者問題に学問的または実務的関心をもち、本会の目的に賛同する者

(3)　賛助会員

　　本会の目的に賛同し、本会の事業に寄与すると認められる法人その他の団体または個人。

第 7 条（入・退会及び除名）

　１．入会
(1)　本会の正会員になろうとする者は、正会員１名の文書による推薦を受けて、理事会に入会の申請をし、その承認を得て正会員となることができる。
(2)　本会の準会員になろうとする者は、正会員または準会員１名の文書による推薦を受けて、理事会に入会の申請をし、その承認を得て準会員となることができる。
(3)　賛助会員になろうとする者は、理事会に入会の申請をし、その承認を得て賛助会員となることができる。
　２．退会
(1)　会員は、理事会に書面で退会届を提出することにより、本会を退会することができる。
(2)　会員が、会費の納入をしない場合には、理事会の定めるところにより、その会員が本会を退会したものと扱うことができる。
　３．除名
　　会員が次のいずれかに該当するときは、総会の議決をもって除名される。会員を除名する場合には、あらかじめ通知するとともに総会において弁明の機会を与える。
(1)　本規約または総会、理事会の決議もしくはこれらの決議に基づく規則または規程に違反したとき。
(2)　本会の名誉を棄損し、または本会の設立の趣旨もしくは目的に反する行為をしたとき。

第８条（会費）
　会員は、総会の定めるところにより、会費を納入しなければならない。

第９条（役員）
　本会には、その運営のために次の役員を置く。理事及び監事の職務分掌は理事長が決定する。
(1)　理事（35名以内とし、うち１名を理事長とする）
(2)　監事（２名）

第10条（役員の選任）
　１．理事及び監事は、正会員の中から総会において選任し、理事長は理事の互選による。
　２．理事及び監事の任期は２年とし、再任を妨げない。

第11条（理事長、理事及び理事会）
　１．本会は、理事長が代表する。
　２．理事長が欠けたとき、理事長に事故があるときまたは理事長と本会の利害が相反するときは、理事会の決議により予め定められた理事がその職務を代行する。

106

3. 理事は、理事会を組織し、本会の会務を執行する。但し、常務の執行は常務理事会に委任することができる。常務理事は理事の中から理事長が指名する。

4. 理事会は理事長がこれを招集する。理事会は、理事の半数以上の者の出席をもって成立し、その議決は出席理事の過半数の賛成による。

第12条（監事）

1. 監事は、本会の会計及び会務の執行の状況を監査する。

2. 監事は、理事会において監査結果を報告しなければならない。

第13条（総会）

1. 理事長は、毎年少なくとも1回は総会を招集しなければならない。

2. 総会の議決は、出席した正会員の過半数の賛成による。

3. 準会員及び賛助会員は、総会に出席し、意見を述べることができる。

第14条（会計）

1. 本会の会計年度は、毎年4月1日から翌年3月31日とする。

2. 本会の予算は、理事長が会計年度ごとに作成し、理事会による承認を受けた上、総会に報告しなければならない。

3. 理事長は、本会の決算及び監査結果につき理事会の承認を受けた上、総会に報告しなければならない。

第15条（規約の改正）

この規約は、総会に出席した正会員の2分の1以上の同意をもって変更することができる。

学会誌『消費者法』投稿規程

日本消費者法学会理事会

本規程は、消費者法学会誌『消費者法』（年1回刊行）への投稿に関して必要な事項を定めるものである。

1．投稿原稿の種類
投稿できる原稿は、消費者法学に関する未発表の、論文とする。

2．投稿資格
投稿資格は消費者法学会の会員に限る。

3．原稿の執筆要領
(1)　原稿は横書きとする。

(2)　論文等の分量　16000字程度とする。

(3)　本文中の見出しは、1→(1)→(A)→(i)の順とする。

(4)　文献の引用

①　文献の引用は、単行本の場合には、著者名『書名』（発行所名、発行年）該当頁を記載し、雑誌論文の場合には、著者名「表題」掲載雑誌名、巻、号（発行年）該当頁とする。

欧文の場合もこれに準ずる。また、欧文の著書名、雑誌名はイタリックとする。

なお、自著の引用に当たっては、「拙著」「拙稿」等による表示は避け、氏名を用いる。

②　文献を再度引用する場合には、著者名・前掲注（注番号）引用頁の形で引用する。

(5)　判例引用

判例の引用は、裁判所名（判・決）年月日出典とする。なお、年号の記載については、元号、西暦、両者併記のいずれでもよいものとする。

(6)　注は、1）2）…n）の記号で本文該当箇所に明示し、脚注とする。

4．原稿提出
(1)　原稿には、所定の表紙（学会HPよりダウンロード可能）に、下記の事項を記載し添付しなければならない。なお原稿自体には、表題だけを記載し、著者の氏名を記載してはならない。

①　著者の氏名・所属

②　表題（和文および欧文）

③　住所、電話番号、FAX番号及びe-mailアドレス

(2)　原稿には、400字以内の和文要旨、キーワード（5つ）及び60語以内の英文

要旨を必ず添付する。既発表の論文等と重複する部分を含む論文等の場合には、既発表の論文等を添付しなければならない。

(3) 原稿には、使用ソフトないし機種を明示した形で電磁情報を必ず添付する。

(4) 原稿は3部提出するものとする。

(5) 上記のものを、消費者法学会事務局宛に郵送する。

　　　日本消費者法学会事務局所在地

　　　〒150-0013　東京都渋谷区恵比寿3-7-16

　　　㈱民事法研究会内

5．締切日及び原稿受理日

投稿締切日は各年の4月30日とし、消印をもって原稿受理日とする。

6．審査

(1) 受理された原稿は、直ちに査読規程に定める査読手続に付され、投稿規程に合致していることが審査により確認された後、査読を委嘱された者の審査を受ける。

(2) 以下の諸点の評価に基づき、原稿が機関誌への掲載にふさわしい水準であるかどうかが、総合的に判定される。

　① 内容について：論旨の明確性、内容の独創性、方法の妥当性、資料の信頼性等。

　② 表現について：表題、文献引用、用語、注、図表の適切性等。

(3) 審査結果は、「採用」、「不採用」、「補正の上採用」のいずれかで通知される。

(4) 「補正の上採用」に該当した原稿は、投稿者による補正の後（原則として通知から2週間以内に補正の上、再提出することを要す）、再度査読手続に付される。この審査による補正後の不採用もあり得る。

(5) 「不採用」に該当する原稿は、新たな原稿とみなされる程度に改訂された場合に、新たな審査に付される。

7．原稿の掲載

(1) 「採用」とされた原稿のうち、原則として原稿受理日の早いものから3ないし4本を掲載する。

(2) 掲載にあたっては、上記の執筆要領をガイドラインとして、編集委員会が裁量で、形式を統一することがある。

8．著者校正

著者の校正は初校についてのみ行う。校正は、誤植の訂正程度に止め、文章、図表等の大幅な訂正、変更は認めない。

附則

この規程は、2010年12月1日より施行する。

学会誌『消費者法』査読規程

日本消費者法学会理事会

本規程は、学会誌『消費者法』投稿規程に基づいて投稿された論文について査読委員会の構成・査読の手続・要領を定めるものである。

1．査読の目的
　消費者法学会は、学会誌『消費者法』掲載論文の水準を高めるため、投稿原稿につき査読を行う。
2．査読の対象
　編集委員会の依頼によるものを除く、論文を査読対象とする。
3．査読委員会
　理事会は、編集委員会とは別に5名以内の理事によって構成される査読委員会を設置する。
4．査読手続き
⑴　査読委員会は、投稿された原稿が投稿規程に合致するかどうかを審査する。
⑵　査読委員会は、投稿規程に合致するとされた原稿1件につき、理事1名以上を含む2名の者に査読を委嘱し、匿名処理された原稿、査読規程及び査読結果票を送付する。
⑶　査読を委嘱された者は、査読を受任できない特段の事情がある場合には、速やかに査読委員会に連絡しなければならない。
⑷　査読を委嘱された者は、査読要領に従って査読を行い、原稿を受理した日より4週間以内に、査読結果票を査読委員会に返送しなければならない。
⑸　査読委員会は、査読を委嘱されたもの2名の結果に不一致がある場合、協議の上、「採用」、「不採用」、「補正の上採用」のいずれかの決定を行う。
⑹　査読委員会は、採否の決定を投稿者に通知する。不採用の場合には、理由を付して通知するものとする。
⑺　査読委員会は、「補正の上採用」について、補正原稿が提出された場合には、これを再度査読手続きに付す。
5．査読要領
⑴　査読を委嘱された者は、以下の諸点の評価に基づき、当該原稿が、機関紙掲載にふさわしい水準のものであるかどうかを総合評価し、「採用」、「不採用」、「補正の上採用」のいずれかの評価を与えるものとする。
①　内容について：論旨の明確性、内容の独創性、方法の妥当性、資料の信頼性等。
②　表現について：表題、文献引用、用語、注、図表の適切性等。

(2)　査読を委嘱された者が、「補正の上採用」の評価を下す場合には、補正が必要な内容を明記しなければならない。また「不採用」の評価を下す場合には、その理由を明記しなければならない。

6．附則

　この規程は2010年12月1日より施行する。

役員一覧